YOGA PARA GESTANTES

GROUND
livros para uma nova consciência

Fadynha

Yoga para Gestantes

⁕ método personalizado ⁕

2ª edição / 1ª reimpressão
São Paulo / 2014

EDITORA GROUND

Preparadora de texto: Ana Lúcia Prôa
Fotógrafo (miolo e capa): Pedro Scliar
Modelo: Carla Machado
Revisão: Antonieta Canelas
Diagramação: Ediart
Capa: Niky Venâncio

CIP-BRASIL. CATALOGAÇÃO-NA-FONTE
SINDICATO NACIONAL DOS EDITORES DE LIVROS, RJ

F134y
2.ed.

Fadynha, 1949-
Yoga para gestantes : método personalizado / Fadynha. - 2.ed.
- São Paulo : Ground, 2008. 237p. : il. ; 23cm

Bibliografia: p.235-237
ISBN: 978-85-7187-197-7

1. Gravidez. 2. Exercícios físicos para grávidas. 3. Ioga.
I. Título.

08-2804. CDD 618.244
CDU 618.2-082

08.07.08 08.07.08 007536

Vendas e distribuição:
Editora Aquariana Ltda.
Av. Santa Catarina, 619 - Sala 14 - Vila Alexandria
04635-001 São Paulo – SP
Tels.: (11) 5031-1500 / (11) 3571-4655
vendas@aquariana.com.br | www.ground.com.br

À Grande Mãe Índia

OM ASATO MA SAD GAMAYA
Oh Senhor, guia-me do irreal para o real,
TAMSO MA JYOTIR GAMAYA,
da escuridão para a luz,
MRITYOR MA AMRATAM GAMAYA.
da morte para a imortalidade.

A Carla Machado que carinhosamente se dispôs
a ser modelo e à sua linda família.
A Ana Lúcia Prôa, Helder Carvalho, Pedro Scliar, Alessandra Negrini, Maria Martha Duque de Moura e Laura Uplinger, pelas contribuições importantes para que eu pudesse concretizar esta obra.
A todas as grávidas que acompanhei ao longo de minha vida — aprendi muito com todas,
agradeço de coração.

Sumário

Apresentação

Yoga para Gestantes é um livro belo e generoso. Numa linguagem clara e inteligente, acompanhada de imagens que emanam luz, Fadynha celebra o yoga com sabedoria e intuição, apresentando dezenas de posturas selecionadas ao longo de seus 30 anos de pesquisa e trabalho com gestantes.

Quando nos apaixonamos por uma tradição milenar, o desafio é mantê-la viva, permanecendo fiel aos princípios dessa tradição, mas sabendo adaptar suas manifestações no plano das formas... Fadynha sempre compõe uma série especificamente adaptada às características de cada uma de suas alunas! Tal façanha requer uma verdadeira comunhão com a essência do yoga e uma grande capacidade de escuta.

Este livro oferece à mãe grávida exercícios de harmonização com seu corpo e com suas energias sutis. O Hatha Yoga é uma disciplina que nos ajuda a saborear a vida e a não nos deter em demasia nos temas que nos puxam para baixo. Ele regenera nosso olhar sobre a existência, já que, ao trabalharmos nossa postura física, melhoramos nossa postura psíquica.

Sabemos hoje que a saúde de uma pessoa com 60 anos decorre mais da qualidade de sua formação no ventre materno do que de seus hábitos alimentares... Vejo o bebê como o grande beneficiário desses exercícios, porque durante a gestação a mãe já atua como educadora! Uma educadora celular que, com seu comportamento, seus sentimentos e seus pensamentos, influencia profundamente a qualidade da tecelagem de cada órgão de seu filho. A prática do yoga durante a gestação transmite ao bebê uma importante lição: minha mente é cúmplice da harmonia do meu corpo... e vice versa.

Durante o yoga, a mãe grávida mantém sua consciência voltada para a respiração, inserindo-se num fluxo energético maior, promovendo, assim, um bom aporte sangüíneo para o bebê. Esta dádiva marca seu filho para o resto da vida. Quando a gestante toma conta de si própria, o bebê vai registrando a importância de cuidar de si; ao harmonizar-se com o Cosmo, ela ensina sobre a comunhão; ao esforçar-se em aperfeiçoar cada posição, transmite confiança e perseverança.

Trabalhando a lateralidade, a mãe grávida trabalha os pilares do amor e da sabedoria. Quando se mantêm em equilíbrio, influenciam seu equilíbrio interno. Ao exercitar a flexibilidade de suas articulações, amplia a flexibilidade de sua mente. Durante o relaxamento, descobre a entrega. E, ao meditar, amplia sua consciência...

Presenteando o melhor de si para seu bebê em formação, a mãe estabelece excelentes bases para que um dia seu filho caminhe firme e livre pela vida. Meu desejo é que muitas gestantes sintam a alegria de explorar os ensinamentos que Fadynha propõe neste livro e que tenham inúmeras conversas de amor com o bebê em gestação.

Laura Uplinger

Brasileira e americana, de formação francesa, há mais de 25 anos vem participando de eventos na Europa e nas Américas sobre Psiquismo Fetal e as implicações dos conhecimentos desta ciência para o advento de uma humanidade mais saudável.

Laura se dedica a promover e divulgar a importância da imaginação da gestante sobre a qualidade da formação de seu bebê.
Fez parte, durante 12 anos, do conselho executivo da Associação para a Psicologia e Saúde Pré-natal e Perinatal (APPPAH).
Em 1993, organizou o 6º Congresso Internacional da APPPAH: Womb Ecology — World Ecology ("Ecologia do Ventre Materno — Ecologia Mundial"), em Washington, DC.
É autora do roteiro do vídeo A Gift For the Unborn Children ("Um Presente para as Crianças Ainda por Nascer"), premiado nos Estados Unidos.

Prefácio

Escrever este livro é um sonho que acalento há muitos anos. Eu sempre achei que seria imprescindível deixar um registro do método de yoga para gestantes criado por mim, na década de 1970. Mas, por incrível que pareça, acabei lançando dois livros antes deste: *Meditações para Gestantes* e *A Doula no Parto*. Agora, depois de mais de 27 anos dando aulas para futuras mamães, senti que não podia mais adiar este projeto. *Yoga para Gestantes* tinha que "nascer", porque, apesar de atualmente existirem muitas professoras que dão aulas nesta área, eu fui uma das primeiras pessoas no Brasil a ensinar esta técnica e já beneficiei mais de 11 mil grávidas.

Tudo começou em 1973, quando conheci o meu companheiro, Helder Carvalho. Ele era professor de yoga nessa época e pude aprender muita coisa com ele. Helder, um grupo de amigos e eu fazíamos muitos retiros e reuniões, nos quais passávamos vários dias imersos em estudos de temas hoje considerados alternativos (meditação, alimentação natural, fitoterapia etc.). Foi então que comecei a estudar o yoga a fundo.

Aos poucos, passei a pesquisar as posturas de yoga mais benéficas para a saúde geral da mulher. Em 1977, quando comecei a me aprofundar no estudo da fisiologia e anatomia das gestantes, aconteceu uma feliz coincidência: fiquei grávida! Com isso, me tornei a primeira pessoa a experimentar o método de yoga para gestantes que estava desenvolvendo.

Na verdade, eu não criei nenhuma nova postura de yoga. Cada postura desta prática milenar possui inúmeras variações, permitindo aos professores fazerem adaptações de acordo com as necessidades do aluno. O meu trabalho consistiu em adaptar, criteriosamente, determinadas posturas, visando trazer benefícios físicos, emocionais e energéticos para as mulheres nesta fase da vida tão peculiar.

Ao longo da minha gestação, fui colocando em prática o meu método, realizando alterações a cada trimestre. O resultado não podia ter sido melhor: vivi nove meses com muita saúde e bem-estar, sem sentir qualquer desconforto comum da gravidez. Nem enjôo eu tive! O sucesso do trabalho que apliquei em mim mesma culminou em um parto maravilhoso, de cócoras, feito em casa. Eu tinha 28 anos quando dei à luz pela primeira vez. Minha filha Prema nasceu após, apenas, cinco horas de trabalho de parto e, posso garantir, com total controle da dor.

Pouco tempo depois, as primeiras grávidas começaram a bater à minha porta, querendo ter aulas de yoga comigo. A história de como eu havia conquistado uma gestação e um parto tão saudáveis correram de boca em boca, e passei a receber gestantes vindas dos lugares mais distantes do Rio de Janeiro — e até de fora do Rio. Nessa época, o Instituto de Yoga e Terapias Aurora — fundado pelo Helder, por mim e por alguns amigos em 1977, ainda com o nome de Fraternidade Aurora Espiritual — passou a ser um dos únicos lugares na cidade onde a gravidez era tratada de forma holística.

Além do fato de eu ter criado o meu próprio método de yoga para gestantes — o que não invalida o método aplicado por outros professores pelo Brasil e pelo mundo afora —, o grande diferencial do meu trabalho é que nunca objetivei apenas dar aulas de yoga. Sempre busquei conscientizar minhas alunas a respeito de sua gravidez e do parto, mostrando para elas as maneiras mais saudáveis de vivenciar os noves meses, o nascimento e sua relação com o bebê.

Expondo o meu método neste livro, espero continuar prestando um serviço valioso às inúmeras mamães (e também aos professores de yoga que desejem aplicá-lo em suas alunas). Isso porque a prática de yoga na gestação traz diversos benefícios não só à mulher, como também ao seu filho e a todas as pessoas que a cercam. Nas páginas seguintes, você conhecerá as propriedades de cada postura e poderá montar sua própria série para fazer em casa.

No entanto, é importante saber que "yoga para gestantes" é, acima de tudo, um trabalho individualizado. Cada gestação é de um jeito! Por isso, você precisará seguir atentamente as indicações e contra-indicações de cada exercício apresentado ao longo do livro. Por exemplo, se está com dores na região lombar, não poderá praticar determinadas posturas, mas, por outro lado, há outras capazes de ajudá-la a superar este problema. Mas, fique tranqüila: tudo está muito bem explicado. O importante é que você esteja decidida a desfrutar de nove meses com muita paz, saúde e bem-estar físico e mental. Tenha certeza de que o yoga vai lhe ajudar a atingir este objetivo. Namastê!*

Fadynha

* Saudação típica dos praticantes de yoga, que significa: "O Deus que há em mim saúda o Deus que há em você."

1. Os benefícios do yoga na gestação

Não existe yoga para gestantes. Diante desta afirmação, você deve estar achando que foi enganada ao comprar este livro. Mas a verdade é que, quando o yoga foi criado, há seis mil anos, não houve uma divisão em categorias: este yoga é para gestantes, este é para a terceira idade, este é para diabéticos... As posturas desta prática milenar são únicas. Porém, elas possuem inúmeras variações e podem ser adaptadas de acordo com a necessidade do praticante. Foi assim, então, que surgiram diferentes denominações para o yoga e, entre elas, o "yoga para gestantes". As posturas já existentes foram adaptadas para proporcionar bem-estar físico e emocional às grávidas ao longo dos nove meses.

Para que você entenda como a prática de posturas e respirações pode beneficiar as mamães, é importante que saiba como o yoga surgiu e como atua na pessoa que o pratica. O yoga nasceu da observação da natureza pelo homem — da natureza de si próprio e daquela à sua volta. Baseado nisso, foram sendo criadas posturas que imitavam a natureza (Postura da Árvore, Postura da Cobra, Postura do Peixe etc.), as quais produziam determinadas reações psicofísicas nos praticantes. Estas posturas e suas propriedades foram passadas oralmente de geração em geração, durante muito tempo. Até que, supõe-se que no século II a.C., Patanjali codificou o yoga, sintetizando sua prática na obra *Yoga Sutra*.

As posturas do yoga atuam na parte física — beneficiando a musculatura, os ligamentos, as inervações, os órgãos vitais e toda a parte estrutural do corpo humano — e também a energética. Isso se dá através dos chacras (centros energéticos do corpo associados às glândulas endócrinas) e das ramificações dos chacras, conhecidas como *nadis*, que são os condutores de energia por todo o corpo, que podem ser comparados aos meridianos da acupuntura. A ativação dos chacras através das posturas gera uma sensação de bem-estar no praticante.

Mesmo assim, algumas pessoas não acreditam nos efeitos positivos do yoga, uma vez que, na maioria das posturas, o praticante permanece estático. Mas saiba que, dessa maneira, ele também está recebendo os benefícios físicos e energéticos. Um exemplo disso é a postura *Tadasana*. Nela, fica-se de pé com as duas mãos unidas na altura do peito. Parece simples, mas os efeitos são grandiosos: no instante em que se une as palmas das mãos, muitos pontos energéticos importantes são ativados, gerando uma propulsão de energia para determinadas partes do corpo.

Além disso, o yoga atua sobre a parte psicológica e emocional do praticante, por ser um trabalho de concentração e relaxamento. Ao realizar as posturas, é preciso ficar relaxado. E a prática da respiração adequada em cada postura leva a um estado de relaxamento ainda maior, trazendo como conseqüência o controle das emoções. Não é à toa, portanto, que o yoga é considerado, atualmente, uma das principais atividades antiestresse.

Agora, imagine de que forma todos esses benefícios podem se refletir sobre a grávida. De antemão, levando-se em conta apenas as propriedades gerais que foram relatadas, percebemos que a prática das posturas milenares (desde que adaptadas para as gestantes) é capaz de gerar uma série de vantagens sobre a mamãe e seu bebê. Mas os efeitos do yoga conseguem ser ainda mais abrangentes na gestante. Veja a seguir como isto se dá nos campos físico, mental e emocional.

BENEFÍCIOS FÍSICOS

O corpo da gestante muda sem parar. E, nesta franca expansão, a grávida precisa aprender a se adaptar a este corpo temporário, que exige muito dela. Na gravidez, o eixo da mulher se altera comprometendo seu equilíbrio. Há um aumento de líquido fluindo em seu organismo, modificando a circulação. Até os aparelhos respiratórios e digestivos são afetados, porque, com o crescimento da barriga, os órgãos internos (pulmões, estômago, intestinos, bexiga, fígado, vesícula, rins etc.) vão sendo comprimidos. Mas, com a prática das posturas de yoga, a gestante consegue se ajustar progressivamente ao seu novo corpo, ficando bem-disposta e livre de desconfortos físicos.

Adaptação ao novo eixo. Algumas gestantes reclamam que perdem o equilíbrio facilmente, chegando até a tomar tombos. Para contornar este risco, há posturas de yoga que exercitam o equilíbrio desde o início da gravidez, ensinando a gestante a se acostumar com o novo eixo corporal.

Alívio da prisão de ventre e dos gases. Estas são queixas muito comuns entre as grávidas. Mas, com a prática do yoga, há uma melhora no funcionamento digestivo, porque certas posturas massageiam os órgãos internos, como intestinos e estômago, facilitando a eliminação das fezes e dos gases.

Circulação sangüínea em perfeito funcionamento. Algumas posturas de yoga — especialmente as posturas invertidas — ajudam muito no retorno sangüíneo, irrigando partes importantes do corpo que acabam ficando comprometidas pelas mudanças físicas que ocorrem na gravidez. O sangue levará oxigênio a estas regiões, evitando dormências, câimbras, pernas pesadas, inchaços e, até mesmo, a formação de varizes.

Mãe e bebê oxigenados. Durante a realização das posturas de yoga, a gestante também faz exercícios respiratórios. O simples ato de respirar conscientemente exerce uma influência geral no corpo todo, oxigenando não apenas a mãe, como o bebê. Mas não é só oxigênio que os dois recebem: durante a respiração (principalmente naquela designada *pranayama*, que será explicada no capítulo seguinte), a mulher e seu filho absorvem energia vital, ampliando a sensação de bem-estar. Os exercícios respiratórios também levam a grávida a reaprender a respirar — porque os seres humanos não utilizam sua capacidade total de respiração —, o que vai ser muito importante no final da gravidez e, principalmente, na hora do parto. Ao respirar corretamente, a gestante terá autocontrole de suas emoções e conseguirá dar à luz com mais tranqüilidade.

Coluna livre de dores e com ótima postura. Dor nas costas é, sem dúvida, a principal queixa das mulheres com a gravidez mais avançada, principalmente aquelas que são sedentárias. Quando os seios e a barriga da gestante crescem, ela começa a andar com o bumbum empinado e as pernas mais abertas para conseguir se equilibrar. Isso leva a um problema conhecido como *lordose da grávida*, que causa dores, principalmente lombares. Por isso, é muito importante exercitar esta região do corpo com posturas que trabalham o alongamento e a abertura: elas conferem um bom controle da musculatura que sustenta a coluna, evitando as incômodas dores nas costas.

A prática do yoga também ajuda a ter uma boa postura, o que faz bem não só para a parte física, mas também para a energética. A coluna é o local por onde passa a energia *kundalini* — esta energia está adormecida no primeiro chacra, na base da coluna, e precisa ser distribuída para todos os outros, que seguem pela coluna até o alto da cabeça. Assim, ao fazer posturas que ativam esta região do corpo e promovem uma boa postura, a *kundalini* consegue percorrer seu caminho e energizar todo o corpo. Dessa forma, a grávida se sente mais bem-disposta.

Fortalecimento do assoalho pélvico. Esta parte do corpo é de vital importância durante a gestação: é ela que sustenta todo o peso da gravidez e é por onde o bebê vai nascer. Por isso, o assoalho pélvico precisa ser muito bem preparado. Algumas posturas de yoga trabalham a região indiretamente (como as aberturas) e outras são de aplicação direta para o fortalecimento dessa área. As vantagens desses exercícios se refletem antes, durante e depois do parto. Com o assoalho pélvico fortalecido, não há riscos de incontinência urinária, que podem afetar as gestantes no 3° trimestre. A região é bem trabalhada para se estender e permitir a passagem do bebê, evitando muitas vezes o rompimento do períneo e a necessidade de episiotomia (corte cirúrgico no períneo) para facilitar o nascimento. E depois do parto, o assoalho pélvico voltará mais facilmente para o lugar, permanecendo fortalecido.

BENEFÍCIOS MENTAIS

O yoga se constitui na busca do autoconhecimento e, na gravidez, este fator se torna essencial. Durante os momentos de relaxamento da prática, a mulher vai se conscientizando do fato maravilhoso que é ter um bebê crescendo dentro dela. Começa a tomar consciência de seu novo corpo e de tudo o que está se passando com ela, assim como de sua condição de mãe.

Muitos exercícios de yoga para gestantes estimulam o estabelecimento do contato da mãe com seu filho no ventre. Esta comunicação com a vida intra-uterina se dá, principalmente, ao nível mental, uma vez que o bebê sente todas as emoções e vibrações da mãe. Dessa maneira, a gestante pode conversar com o bebê e lhe transmitir o quanto ele já é amado. É o momento de fazer mentalizações positivas e visualizações criativas: a grávida pode, por exemplo, mentalizar que vai correr tudo bem com a sua gravidez, que seu bebê vai nascer muito saudável e vai mamar no seio com facilidade. Muitas vezes, no dia-a-dia agitado, as gestantes não encontram tempo para parar e se comunicar conscientemente com seus bebês. Durante as aulas de yoga, ela consegue frear seu ritmo e voltar sua atenção para o filho que cresce no seu ventre.

BENEFÍCIOS EMOCIONAIS

Por conta dos hormônios que se multiplicam em seu organismo, a grávida vive nove meses de extrema sensibilidade. Suas emoções flutuam de tal forma, que ela se torna capaz de chorar assistindo a um anúncio na televisão! Algumas gestantes, porém, acabam se entregando a uma tristeza profunda e se preocupam excessivamente com o que está por vir. O yoga ajuda a evitar esta situação, canalizando a sensibilidade da futura mamãe para a autopercepção da maravilha que é estar gerando um bebê.

Isso, obviamente, estimula o equilíbrio nas emoções da gestante. Se o seu estado era de tensão, ela começa finalmente a relaxar. Algumas vezes, nem ela própria percebe que seu astral mudou para melhor depois que iniciou a prática do yoga, mas as pessoas à sua volta sentem que ela fica mais bem-humorada, mais tranqüila.

VANTAGENS NO PARTO E NO PÓS-PARTO

Além de beneficiar a mulher ao longo de toda sua gravidez, o yoga também cria condições para que ela tenha um bom parto normal. Como já foi dito, o fortalecimento do assoalho pélvico durante as posturas permite que a saída do bebê ocorra sem rompimento do períneo e sem episiotomia e, ainda, que esta região recupere sua tonicidade mais facilmente no pós-parto. Mas não é só isso: com a prática das posturas, a musculatura da gestante vai sendo trabalhada gradativamente, desenvolvendo uma força física que será utilizada na hora do nascimento.

O yoga proporciona o fortalecimento e a elasticidade das pernas (fundamental para o parto de cócoras) e braços (importante principalmente para depois do parto, nos cuidados com o bebê). Assim, a gestante fica mais bem preparada para agüentar as horas de trabalho de parto, que podem ser longas em alguns casos. Porém, o yoga não traz vantagens apenas para as mulheres durante o parto normal. Quando é necessário realizar uma cesariana, a gestante vai para o centro cirúrgico com muito mais controle de suas emoções.

A verdade é que, independentemente do tipo de parto que a gestante escolha ou consiga ter, a tendência é que a recuperação no pós-parto sempre ocorra da melhor forma para aquelas que fizeram o trabalho de yoga na gravidez — principalmente no que diz respeito ao retorno do corpo de antes! Determinadas posturas e a respiração diafragmática praticada nos exercícios trabalham a musculatura da parede abdominal, e, depois que o bebê nasce, isso vai ajudar a barriga a voltar ao lugar com mais facilidade.

QUAIS GESTANTES PODEM FAZER YOGA?

Todas aquelas que desejem estar bem ao longo de sua gravidez, almejem ter um bom parto e queiram se recuperar da melhor maneira possível depois do parto. Yoga não é um trabalho apenas para as gestantes que visam um parto normal ou uma atividade que exija prática anterior em yoga. Obviamente, as mulheres que já eram praticantes antes de engravidar vão se aprofundar ainda mais na prática das posturas, mas isso não impede que qualquer gestante leiga faça os exercícios e se beneficie da mesma forma.

Sendo assim, tão logo a mulher descubra que está grávida já pode começar a praticar yoga. Alguns obstetras só indicam atividades físicas após o término do 1° trimestre, mas, como as posturas propostas neste livro são bem leves e adaptadas, podem ser feitas por qualquer gestante (de acordo com o período da gravidez) que não apresente contra-indicações, como sangramentos e risco de aborto. Quanto mais cedo a futura mamãe começar a praticar, mais rapidamente estará recebendo os benefícios do yoga, alcançando, assim, o objetivo principal desta prática: proporcionar à mulher uma gestação, um parto e um pós-parto saudáveis e tranqüilos.

PESQUISA CIENTÍFICA APONTA A EFICÁCIA DO YOGA NA GRAVIDEZ[1]

Cientistas da Fundação de Pesquisa Vivekananda, na Índia, investigaram os efeitos da prática do yoga na gravidez em diversas situações: peso ao nascer, prematuridade e complicações na gravidez. O estudo reuniu 335 mulheres que faziam seu pré-natal na Maternidade Gunasheela, na cidade indiana de Bangalore, a partir da 18ª e 20ª semana de gravidez, e que foram acompanhadas até o dia do parto. 169 destas gestantes praticaram uma hora de yoga diariamente e as outras 166 fizeram caminhadas de 30 minutos duas vezes ao dia. O trabalho de yoga incluía a realização de posturas, exercícios respiratórios e meditação.

Os pesquisadores chegaram às seguintes conclusões:

No grupo das gestantes praticantes de yoga

- O número de bebês que nasceram com peso igual ou superior a 2,5 kg foi significativamente maior.
- O número de partos prematuros foi consideravelmente menor.
- O número de complicações como retardamento do crescimento intra-uterino e hipertensão devido à gravidez foi expressivamente menor.
- Não houve registro de efeitos colaterais significativos.

Os autores do trabalho concluíram que a prática do yoga na gravidez é totalmente segura e aprimora o ganho de peso do bebê.

[1] Este estudo foi publicado no *Journal of Alternative and Complementary Medicine*, 11(2): 237-44, abril 2005.

O YOGA PREVINE A MÁ POSIÇÃO FETAL

Duas especialistas neozelandesas em gestação revelaram que os exercícios de yoga são ferramentas eficazes para evitar que o bebê se posicione no útero com o dorso à direita, situação que leva a partos difíceis e demorados e diante da qual a maioria dos médicos acaba optando pela realização da cesariana.

A parteira Jean Sutton e a orientadora pré-natal Pauline Scott[2] observaram que, nas últimas décadas, verificava-se um crescimento drástico nos índices de partos com bebês nesta má posição (mais de 50% dos casos) e, após vários estudos, concluíram que isso se deve à má postura da mãe moderna, que passa várias horas diante do computador, dirigindo e assistindo à tevê em sofás bastante confortáveis, sentada com a região lombar projetada para a frente (o que fica em contato com o encosto da cadeira ou do sofá é apenas a região dorsal) e, muitas vezes, com os joelhos elevados acima da altura da região pélvica. E isso sem falar no índice de sedentarismo atual, que é maior e também contribui para o problema.

Sutton e Scott alertam que a gestante precisa ficar muito atenta à sua postura ao longo da gravidez, principalmente nas seis semanas que antecedem o parto. Dessa maneira, podem levar à condição que elas denominaram de *Optimal Foetal Positioning*, que seria a posição fetal perfeita para o nascimento. Elas explicam que o mau posicionamento do bebê, em decorrência da má postura da mãe, ocorre pelo seguinte

(...)

[2] O trabalho das duas especialistas está publicado em: SUTTON, Jean & SCOTT, Pauline. *Understanding and Teaching Optimal Foetal Positioning*. New Zealand: Birth Concepts, 1995.

(...)
fato: as costas do bebê correspondem à parte mais pesada do corpo dele; isso significa que, naturalmente, as costas irão procurar a parte mais baixa do abdômen da mãe para se acomodar. Assim, se a região lombar da mãe fica constantemente projetada para a frente (elevando, de certa forma, a barriga), a tendência é que as costas do bebê girem em direção à coluna da mãe — ao passo que a posição ideal para o parto é que as costas do bebê estejam em contato com a barriga da gestante.

Para reverter este quadro, as especialistas indicam — entre outras ações — a prática do yoga. De fato, como já tivemos oportunidade de mencionar, os exercícios do yoga colaboram bastante para a conquista e manutenção da boa postura da gestante. Alguns exemplos de exercícios que mais trabalham a postura são: *Namaskar*, Gatinho e Folha Dobrada. Assim, as gestantes que praticam yoga durante a gravidez (e não apenas nas últimas seis semanas) têm muito mais chances de evitar o mau posicionamento do bebê no útero, porque estão cuidando de sua postura. O resultado de uma boa postura não ocorre apenas no parto, mas ao longo da vida: as mulheres adquirem uma consciência corporal permanente. E vale lembrar que isso é muito importante não só para assegurar um nascimento mais fácil, como também para a recuperação no pós-parto. Afinal, mulheres que tendem a projetar a lombar para a frente costumam ficar, após a chegada do filho, com a barriga saliente, as nádegas para dentro e os seios caídos. É uma questão, portanto, de saúde e de estética.

2. As posturas do 1º trimestre

Parabéns, você está grávida! Prepare-se para viver fortes emoções e... grandes transformações depois que você confirma este fato maravilhoso! No primeiro trimestre, apesar de sua barriga continuar praticamente a mesma, seu filho estará passando pelas principais "metamorfoses" no útero: o período que vai da primeira à 13ª semana de gestação corresponde à fase principal da formação do bebê. Acredite: apenas duas semanas após a fecundação, já começam a se formar o tubo neural (que dá origem ao cérebro), o coração, o tubo digestivo e os órgãos dos sentidos. No final da segunda semana, o coração estará pulsando e brotos de braços e pernas, ouvidos, boca e nariz começam a surgir. Ao término do trimestre, o aparelho respiratório e o urinário estarão funcionando e o fígado já produzirá bile.

Tantas mudanças internas acarretarão reações em seu corpo e sua mente. Logo no início da gravidez, uma avalanche de hormônios começa a trabalhar no seu organismo, podendo provocar náuseas, vômitos, azia e sonolência. Além disso, ocorre aumento da circulação sangüínea, aceleração dos batimentos cardíacos e queda da pressão arterial. No segundo mês, o maior índice de progesterona influencia os movimentos intestinais, podendo gerar prisão de ventre (que pode se prolongar até o final da gravidez!). No terceiro mês, para alimentar o bebê, já haverá um litro e meio de sangue a mais circulando em seu corpo, sendo capaz de provocar tonteiras, palpitações e taquicardia. O coração passa a bombear mais rapidamente e o fluxo sangüíneo em direção ao cérebro se reduz, podendo causar queda de pressão. A essa altura, seus seios já estarão bem maiores e até mesmo doloridos, porque as células produtoras de leite estão preparando o terreno para a amamentação.

Dá para perceber que, diante de tudo isso, a gestante passa a viver uma montanha-russa de emoções. Sua imensa felicidade pode ficar compro-metida por tantas mudanças físicas. Você vai se sentir realizada por estar gerando um filho, mas como conviver, por exemplo, com tantos enjôos? A intensa ação hormonal contribui, ainda, para que seus nervos fiquem à flor da pele. A partir de agora, passe a assistir ao intervalo comercial das novelas com uma caixa de lenços de papel à mão, pois se o anúncio apelar para as emoções, suas lágrimas vão rolar copiosamente!

Para contrabalançar tantas mudanças físicas e psicológicas, entra em cena um grande aliado já nos primeiros meses de gravidez: o yoga. Apesar de alguns especialistas só indicarem atividades físicas após o 2° trimestre de gestação, esta é uma prática amplamente indicada e totalmente inócua para as mulheres a partir das primeiras semanas de gravidez, desde que tudo esteja correndo bem — ou seja, sem a presença de sangramentos ou risco de aborto —, elas devem fazer a série adequada ao trimestre em que se encontram e realizar o pré-natal com um bom profissional. Como o yoga é uma atividade suave que trabalha ao mesmo tempo o físico, o mental e o emocional, aparece como excelente opção para a gestante ir se adaptando, pouco a pouco, às inúmeras transformações que invadem o seu organismo tão logo ela se dá conta de que é mãe.

Converse com o seu médico a respeito da possibilidade de praticar yoga já no 1° trimestre de gravidez. Ele saberá lhe dizer se há alguma contra-indicação no seu caso.

REGRAS GERAIS PARA FAZER YOGA

Para a prática do yoga, o mais indicado é procurar um professor especia-lizado em dar aulas para gestantes. Normalmente, antes de a futura mamãe começar a prática, é feita uma anamnese, na qual a mulher descreve todas as características de sua saúde em geral e fala sobre como está sendo sua gravidez. Assim, o professor contará com informações importantes para montar a série mais indicada para cada uma de suas alunas. O ideal é que as séries de posturas sejam individualizadas.

Neste livro, você encontra o método criado e elaborado pela professora Fadynha, que vai se modificando ao longo dos três trimestres da gravidez. Em suas aulas, cada aluna costuma realizar em torno de 30 exercícios. Mas se você deseja fazer yoga em casa, colocando em prática o que é ensinado aqui, o ideal é que escolha de 15 a 20 posturas, montando sua série de acordo com as indicações e contra-indicações de cada uma delas, e respeitando o trimestre da gravidez em que se encontra. Além disso, é importante seguir algumas regras, que vão ajudá-la a alcançar os benefícios do yoga de maneira ainda mais intensa.

- Você pode fazer sua série de yoga diariamente. Porém, o mais aconselhável é que escolha de dois a três dias na semana para praticar regularmente.

- Use uma roupa bem confortável, que não a aperte. De preferência, que não seja sintética, para evitar bloqueios da energia. Tire relógios, pulseiras e excesso de metais — estes também podem bloquear a energia.

- Evite tomar banho logo após a prática, para não deixar que a água leve os benefícios energéticos. Se desejar, pode tomar banho antes de iniciá-la.

* Mantenha o ambiente silencioso ou, para ajudar na concentração, pratique os exercícios ao som de uma música tranqüila (new age ou clássica, por exemplo).

* Se fizer yoga durante o dia, deixe apenas a luz do ambiente. Já à noite, evite luzes muito fortes, para não atrapalhar o relaxamento. O ideal é ficar na penumbra. Você também pode usar lâmpadas coloridas: a luz azul, por exemplo, ajuda a relaxar. E também velas aromaterápicas.

* Pratique sempre no chão, sobre um cobertor dobrado, uma esteira ou um colchonete bem fino. Procure não forrar o chão com materiais sintéticos, como tapetes plásticos, porque bloqueiam a energia.

* Não faça yoga com o estômago cheio. A maioria das grávidas não deve ficar com o estômago vazio para evitar a queda de pressão, por isso, coma alguma coisa leve (como sopa, suco, frutas ou vitamina) cerca de meia hora antes de começar a prática.

* Durante os exercícios, não realize movimentos bruscos. Faça tudo de forma lenta, leve e cuidadosa, com o acompanhamento da respiração, para evitar a queda de pressão.

* Em todas as posturas, só se alongue até onde for confortável para você. Nunca exceda o seu próprio limite.

* Durante a prática, a coluna deve estar alinhada (e não reta, como algumas pessoas se referem erroneamente, uma vez que a coluna é naturalmente sinuosa). Portanto, para deixar sua postura alinhada, basta manter os ombros para trás e o tórax aberto. E, sempre que possível, vigie sua postura e a corrija, porque a tendência é que o tórax se feche e os ombros voltem a cair.

Uma dica para manter a postura: coloque uma pequena almofada sob as nádegas, porque assim a coluna fica um pouco elevada.

* A maioria dos exercícios propostos devem ser feitos apenas uma vez. O ideal é permanecer na postura o máximo de tempo que puder — o limite é até onde você se sentir confortável! Quando não conseguir ficar um tempinho na postura, deve repetir o exercício. Até que, com a prática, vá conseguindo ficar mais tempo durante uma única vez.

* A prática da respiração consciente é muito importante no yoga. Em geral, há quatro passos para se respirar no yoga: inspira (*puraka*), retém a respiração com ar dentro do peito (*kumbhaka*), expira (*rechaka*) e retém o pulmão sem ar (*sunyaka*). Porém, para as gestantes não é bom reter, com ou sem ar, a respiração. Por isso, na realização das posturas, você deve seguir esta orientação básica: inspire nos movimentos para cima e nas aberturas; durante toda a permanência da postura (enquanto estiver imóvel no meio da realização do exercício), mantenha a respiração livre; e expire nos movimentos para baixo e ao finalizar os exercícios.

* Nas posturas em que vai usar braços e pernas, comece sempre pelo lado esquerdo. Isso porque a energia flui nessa direção: ao iniciar o exercício pelo lado mais receptivo do corpo, a energia fluirá mais facilmente.

* Ao fazer uma postura de equilíbrio, procure fixar um ponto à frente, na altura dos olhos. Fixe sua concentração ali e não desvie o olhar. Não converse com ninguém durante as posturas de equilíbrio e não se distraia, porque senão pode cair.

* Ao seguir os exercícios propostos neste livro, faça-os sempre nesta seqüência: posturas em pé, sentada, em quatro apoios e, por fim, dei-

tada. A única exceção vai para o Exercício Sutil, que abre a série e é feito sentado.

* Se quiser, pode praticar com seu companheiro. Assim, vocês ampliam ainda mais a interação com o bebê. Mas não se surpreenda se o seu marido ficar todo duro e você realizar movimentos inacreditáveis para uma grávida. Na gestação, a mulher fica muito mais flexível por conta da ação dos hormônios, que afrouxam os ligamentos e as articulações, preparando para o momento do parto.

* Não queira aprender todas as posturas de uma só vez. Faça aos pouquinhos, acrescentando novos exercícios à sua série assim que se sentir segura do que está praticando.

* *E atenção:* se sentir qualquer desconforto, pare a prática e comunique ao seu médico. É preciso investigar se esse desconforto é sinal de que está havendo algum problema ou que você está excedendo o seu limite. E só volte a fazer yoga depois que seu médico autorizar.

SUA SÉRIE DE YOGA

A seguir, apresentamos os exercícios indicados para o 1º trimestre da gravidez, na ordem mais adequada para serem praticados. Marque no quadrado ao lado de cada um deles os 15 a 20 que escolheu para compor sua série. Destaque ou xeroque esta página para servir de guia na hora em que você for praticar yoga.

1º TRIMESTRE

- ☐ *Sukshuma Vyayana* ou Exercício Sutil (p. 37)
- ☐ *Vrikshasana* ou Postura da Árvore (p. 42)
- ☐ *Talasana* ou Postura da Palmeira (p. 44)
- ☐ *Purnasana* ou Postura Completa ou Arco e Flecha (p. 46)
- ☐ *Utkasana* ou Postura de Meia Cócoras na Ponta (p. 48)
- ☐ *Tiryaka* Tadasana ou Palmeira Envergando (p. 50)
- ☐ *Duikonasa* ou Descanso da Coluna (p. 52)
- ☐ *Hastinasana* ou Relax Dinâmico (p. 54)
- ☐ *Garudasana* ou Postura do Pássaro ou da Águia (p. 57)
- ☐ Estiramentos Laterais (p. 59)
- ☐ *Konasana* ou Postura Lateral (p. 61)
- ☐ *Chandrasana* ou Postura da Meia-lua (p. 63)
- ☐ Folha Dobrada (p. 66)
- ☐ *Vajrasana* ou Postura do Raio ou Diamante (p. 67)

Pranayamas

- ☐ Respiração Torácica (p. 73)
- ☐ Respiração Abdominal ou Diafragmática (p. 75)
- ☐ Respiração Completa (p. 77)
- ☐ *Sukha Purvaka* ou Respiração Alternada (p. 79)

Exercícios para os Seios

- ☐ Rotação (p. 81)
- ☐ Contração (p. 83)
- ☐ Engrenagem (p. 85)
- ☐ Puxando Corda (p. 87)
- ☐ Crucifixo (p. 89)
- ☐ *Pronam Mudrá* ou Gesto da Prece (p. 91)

☐ *Gomukhâsana* (p. 93)

☐ *Khandarana* ou Ponte (p. 95)

☐ Torção com os Joelhos (p. 97)

☐ Vaso Capilar ou Baratinha (p. 99)

☐ Abraçando os Joelhos (p. 101)

☐ *Jathara Parivarthanasana* ou Pára-brisa (p. 103)

☐ *Matsya Kridasana* ou Relaxamento Lateral (p. 105)

☐ *Shavasana* ou Postura da Imobilidade (p. 107)

☐ Tensionamento Muscular (p. 108)

☐ Respiração Diafragmática (p. 110)

☐ *Yoga Mudrá* (p. 112)

☐ Meditação (p. 115)

POSTURAS INDICADAS PARA O 1º TRIMESTRE

Sukshuma Vyayana ou Exercício Sutil

Sentada, mantenha a coluna alinhada e as pernas alongadas à frente. Há duas opções para posicionar os braços: apoiados atrás ou com as mãos sobre os joelhos.

Simultaneamente, alongue bem os dois pés para a frente (como se fizesse a ponta do balé) e flexione-os bem para trás. Repita sete vezes. Faça o exercício lentamente e acompanhe o movimento dos pés com o olhar.

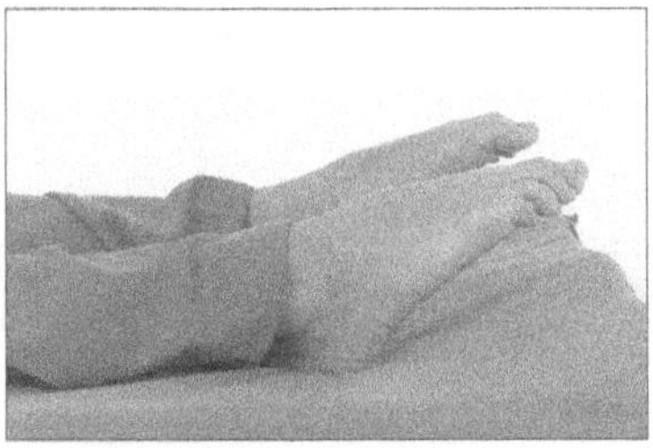

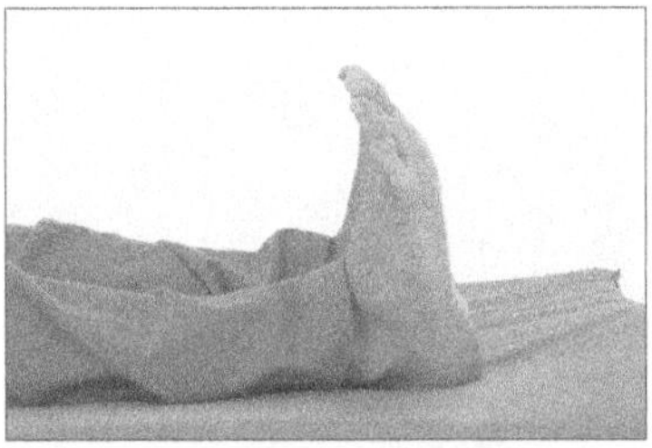

Afaste os pés. Faça a rotação completa do pé esquerdo sobre o tornozelo: sete vezes no sentido horário e, em seguida, sete vezes no sentido anti-horário. Repita os mesmos movimentos com o pé direito.

Junte as pernas e gire os dois pés simultaneamente, sete vezes para cada lado.

Dobre as pernas, de forma que fique confortável. Lembre-se de manter a coluna alinhada. Agora, você vai fazer com os braços os mesmos movimentos realizados com as pernas. Estique os braços à frente, mantenha os polegares para dentro das mãos fechadas com força. Abra e feche as mãos durante sete vezes, como se estivesse jogando alguma coisa fora.

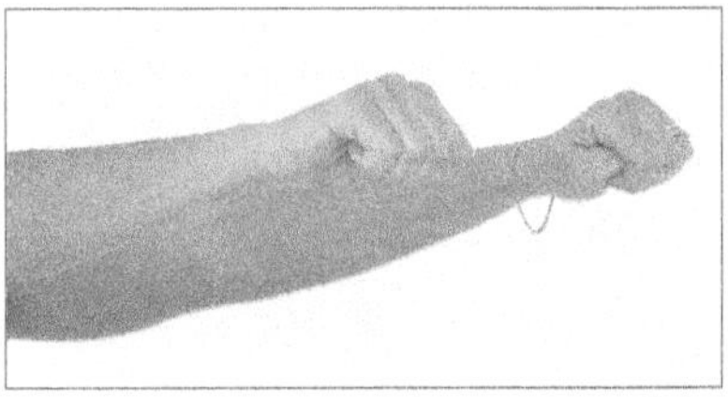

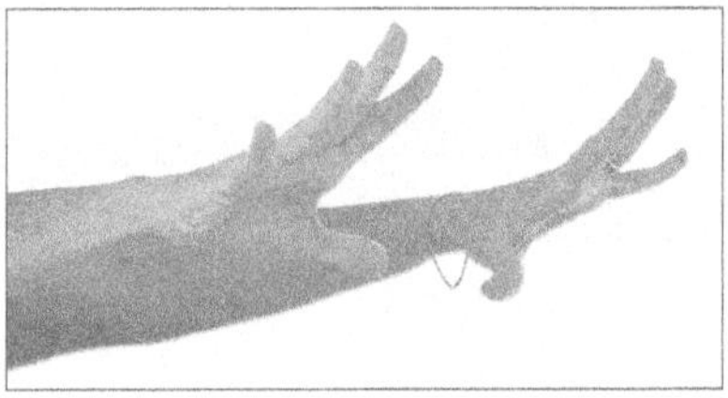

Descanse a mão direita sobre a perna. Com a mão esquerda à frente, faça o movimento de rotação do punho, sete vezes para cada lado. Mantenha o olhar sempre na mão.

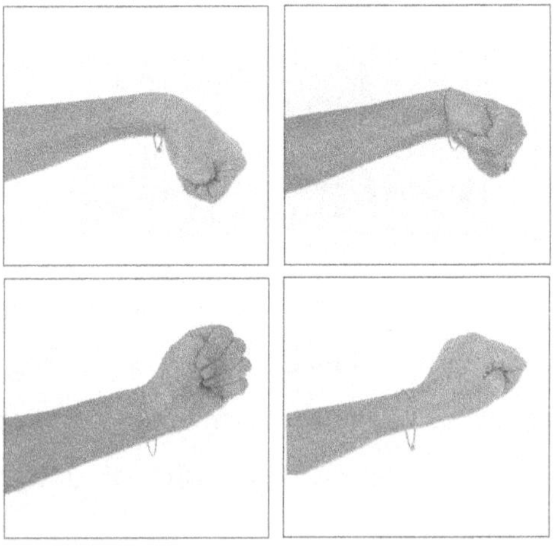

Repita com a mão direita.

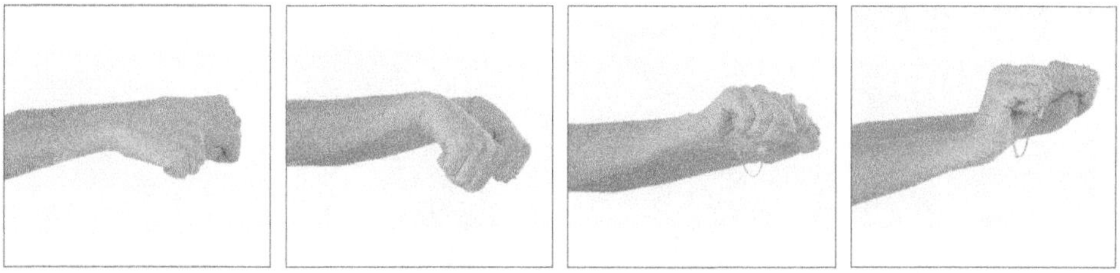

Descanse as mãos sobre os joelhos. Permaneça com a coluna alinhada, o rosto e a boca bem relaxados e os olhos fechados. Deixe a cabeça pender para a frente e para trás, durante sete vezes.

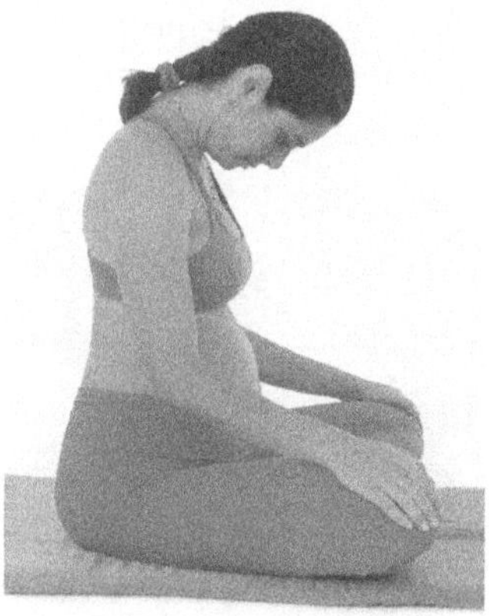

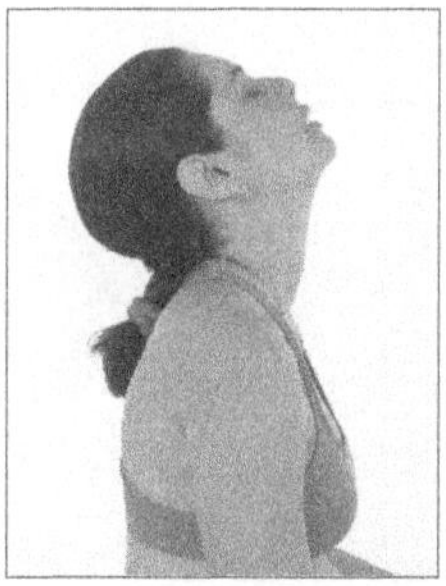

Deixe o peso da cabeça cair para os lados, como se estivesse querendo encostá-la nos ombros (mas não levante os ombros e, embora o objetivo seja o alongamento do pescoço, não force muito). Repita sete vezes para cada lado.

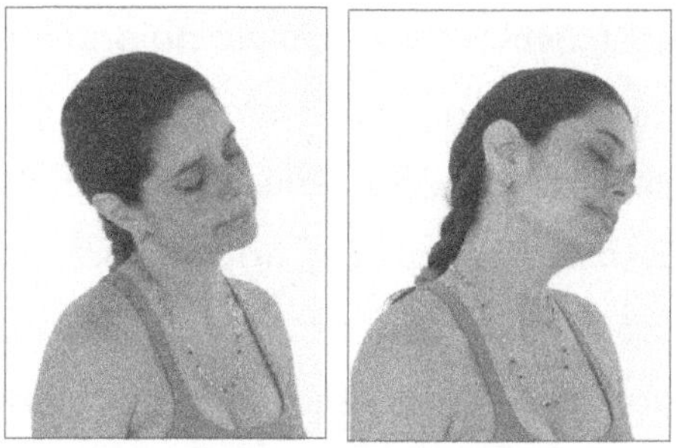

Mantendo a postura, vire o rosto para um lado e para o outro, repetindo sete vezes para cada lado.

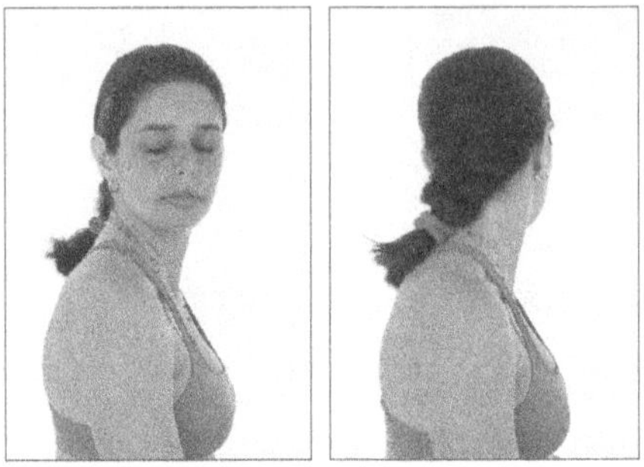

Agora faça a rotação completa da cabeça, sete vezes para um lado e depois sete vezes para o outro. Faça esse exercício bem lentamente.

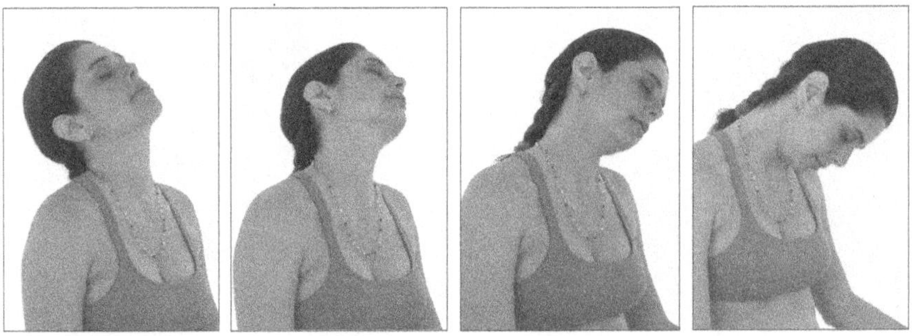

A respiração é livre durante todo o Exercício Sutil.

BENEFÍCIOS. Aparentemente, este é um exercício bem simples, que muitos podem achar que surte poucos efeitos. Mas ele é muito importante, porque ajuda a gestante a se concentrar para o início da prática, voltando a atenção para o seu próprio corpo. Trabalha as extremidades (pés, mãos e cabeça), aquecendo-as, relaxando-as e proporcionando flexibilidade. Também ajuda a energia a fluir: nas mãos e nos pés há terminações de meridianos da acupuntura, que têm correlação com os *nadis* (canais usados no yoga para ativar a energia). Quando se ativa esses terminais, acontece uma melhora da coordenação motora, ativação da circulação sangüínea e energética, e produção de um efeito relaxante em todo o corpo.

BENEFÍCIOS PARA O BEBÊ. Durante a prática, a mãe se acalma. E, graças à tranqüilidade e ao bem-estar que ela alcança, o bebê também relaxa.

INDICAÇÕES

Todas as gestantes dos três trimestres. Este é um exercício simples e fácil, que pode ser feito até pelas grávidas de alto risco — na realidade, para estas, pelo fato de ficarem muito tempo deitadas, é bastante indicado porque ativa a circulação.

CONTRA-INDICAÇÕES

Gestantes com alguma lesão nas pernas, nos braços ou na cervical, e que sofram de labirintite.

CHACRAS TRABALHADOS. Básico, laríngeo, frontal e coronário.

Vrikshasana ou **Postura da Árvore**

Comece em pé, com os pés juntos e braços estendidos ao lado do corpo, com as palmas das mãos sobre a lateral das coxas. (Esta, na verdade, já é uma postura — *tadasana* —, que traz à gestante consciência de seu corpo e de seu eixo.)

Fixe um ponto à frente e, com a ajuda das mãos, traga o calcanhar até a virilha, inspirando. Procure pressionar levemente o calcanhar contra a virilha para o pé não escorregar. Caso você não consiga levar o pé até a virilha, posicione-o mais para baixo (na altura do joelho ou mais abaixo ainda), mas tenha em mente que a meta é encostar o pé na virilha.

Una as palmas das mãos na frente do peito, em forma de prece (*pronam mudrá*), deixando-as encostadas no corpo. Mantenha a respiração livre nesta postura. Fique assim o tempo que quiser.

Quando sentir que está cansando, comece a descer a perna bem devagar, expirando. Repita a postura com a outra perna.

BENEFÍCIOS. Além de produzir equilíbrio físico, traz equilíbrio energético, mental e emocional. Para que a gestante permaneça nesta posição sem tombar, precisa exercitar a concentração. É como parar a mente num exercício de meditação. Esta postura trabalha as articulações das pernas e tornozelos, a elasticidade e o fortalecimento da musculatura. Além disso, atua sobre o assoalho pélvico e os quadris, preparando-os para o parto. Também é indicada para aliviar as dores lombares.

BENEFÍCIOS PARA O BEBÊ. A aquietação da mãe devido à concentração ajuda o bebê a relaxar. Ele recebe os fluidos deste momento de paz e seus órgãos em formação se beneficiam com matéria-prima de melhor qualidade.

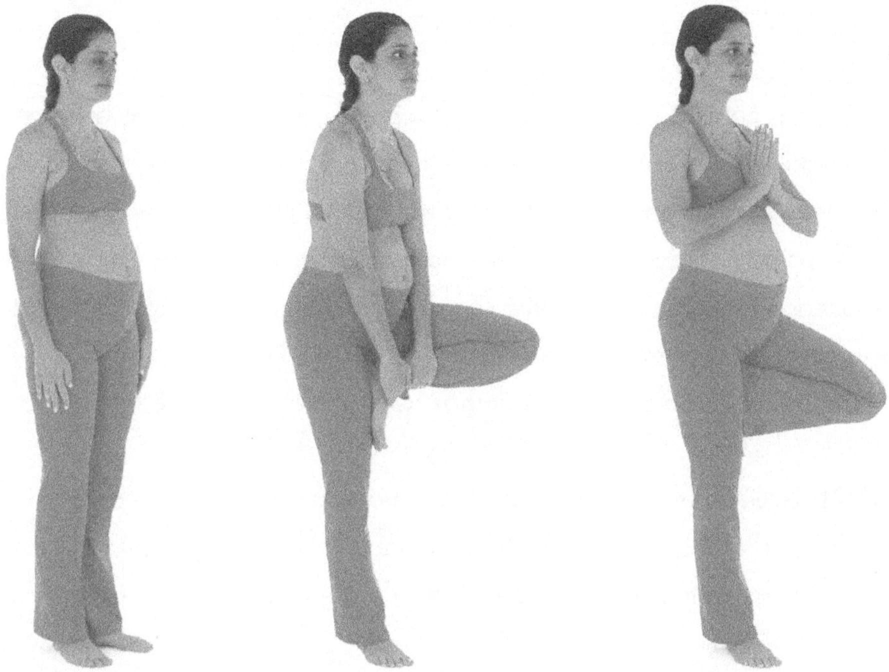

INDICAÇÕES

Grávidas de todos os trimestres (este exercício vai se aperfeiçoando ao longo da seqüência de exercícios que apresentamos, porque a gestante vai adquirindo mais abertura e mais estabilidade, facilitando o equilíbrio nos estágios mais avançados da gestação).

CONTRA-INDICAÇÕES

Gestantes com problemas sérios de joelhos e com labirintite — a prática é difícil neste caso, mas, se a gestante tiver força de vontade e conseguir superar as dificuldades, será capaz até de melhorar estes problemas.

CHACRAS TRABALHADOS. Básico, cardíaco e frontal.

Talasana ou Postura da Palmeira

Em pé, com os pés ligeiramente separados, fixe um ponto à frente na direção dos olhos. Sincronize os movimentos de pés e mãos: inspire e vá, lentamente, elevando os braços esticados (com as palmas das mãos abertas) até a altura da cabeça, ao mesmo tempo em que vai elevando o corpo através da realização de uma meia ponta com os pés. Permaneça nesta postura com a respiração livre o tempo que conseguir.

Expirando, desça braços e pernas de maneira lenta e sincronizada.

BENEFÍCIOS. Aumenta a concentração e o equilíbrio, ajuda na coordenação motora e alonga incrivelmente a coluna e todo o corpo (especialmente a musculatura peitoral, os braços e as pernas). Desenvolve os músculos retais, beneficiando os intestinos e descongestionando a inervação da coluna vertebral.

BENEFÍCIOS PARA O BEBÊ. Esta postura também alonga a parede abdominal. Isso gera mais espaço para o bebê se acomodar no útero.

INDICAÇÕES

Grávidas de todos os trimestres. Ótimo para quem trabalha fora: de vez em quando, a gestante pode se levantar da cadeira e se alongar nesta postura.

CONTRA-INDICAÇÕES

Gestantes com problemas nas articulações dos pés, alguma lesão nos pés ou labirintite.

CHACRAS TRABALHADOS. Frontal, cardíaco e coronário.

Purnasana ou Postura Completa ou Arco e Flecha

Em pé, com os pés bem separados, inspire e traga os braços à frente do corpo, mantendo as mãos fechadas (mas sem fazer força) e os polegares para dentro.

Deixe o braço direito esticado e vá dobrando o esquerdo levando-o para trás da cabeça, bem lentamente. Acompanhe o cotovelo com o olhar. Neste movimento, vá expirando longamente até chegar ao limite máximo (como é difícil fazer apenas uma expiração, inspire rapidamente no meio do movimento e volte a expirar longamente).

Ao levar seu cotovelo o máximo que puder atrás da cabeça, mantenha-se nesta postura durante o tempo que quiser, com a respiração livre.

Atenção: tome cuidado para não deixar o braço direito (que está à frente do corpo) sair desta posição. Se o trouxer para a frente, perde um pouco o efeito da torção.

Inspirando, traga o braço esquerdo para a frente de maneira concentrada e lenta, sempre olhando para o cotovelo. A inspiração é mais longa, por isso também é difícil fazer uma só.

Repita com o outro braço. Ao final, desça os braços juntos, expirando.

BENEFÍCIOS. Esta postura desenvolve a força de vontade e a concentração. Ela trabalha a musculatura e as articulações dos braços e provoca uma leve torção na coluna dorsal e cervical. Abre também a musculatura do tórax, melhorando a capacidade respiratória.

BENEFÍCIOS PARA O BEBÊ. Ao fazer a torção, a gestante abre mais espaços nas laterais do corpo para o bebê.

Observação: as fotos que apresentamos ilustram o exercício com o braço esquerdo esticado.

INDICAÇÕES

Grávidas de todos os trimestres.

CONTRA-INDICAÇÕES

Gestantes com alguma lesão ou problema sério na coluna cervical ou dorsal.

CHACRAS TRABALHADOS. Cardíaco e laríngeo.

Utkasana ou Postura de Meia Cócoras na Ponta

Em pé, mantenha os pés juntos (à medida que a barriga cresce, pode separá-los um pouco para facilitar o equilíbrio). Fixe um ponto à frente, na altura do umbigo.

Sincronize pés e mãos no movimento: inspire e eleve o corpo fazendo uma meia ponta com os pés, ao mesmo tempo em que leva as mãos à posição de prece (*pronam mudrá*).

Vá descendo expirando, abrindo os joelhos lateralmente até sentar sobre os calcanhares (se não conseguir, deixe as nádegas o mais próximo possível dos calcanhares).

Ajeite a postura: separe mais os joelhos se for necessário, alinhe a coluna mantendo os olhos fixos na altura do umbigo e as mãos abaixo do peito. Fique nesta postura com a respiração livre o tempo que quiser.

Quando sentir que está perdendo o equilíbrio ou cansando, feche as pernas, incline um pouco o corpo para a frente, inspire e suba devagar.

BENEFÍCIOS. Fortalece a musculatura das pernas e exercita os pés, as articulações e o assoalho pélvico (períneo, virilha e pelve). Trabalha bem a coluna, principalmente a lombar, aliviando dores nesta região. Colabora, ainda, para a abertura da bacia, já antevendo o parto. No 3° trimestre, facilita a descida e o encaixe do bebê.

BENEFÍCIOS PARA O BEBÊ. Esta postura traz tranqüilidade para o bebê.

INDICAÇÕES

Gestantes de todos os trimestres com a gestação correndo tranqüilamente.

CONTRA-INDICAÇÕES

Gestantes com indícios de aborto, perda de líquido, sangramento, placenta baixa ou contrações. Também é contra-indicado para aquelas que têm problemas nas pernas ou nos joelhos.

CHACRA TRABALHADO. Básico.

Tiryaka Tadasana ou Palmeira Envergando

Em pé, com os pés bem separados, entrelace as mãos à frente e, inspirando, eleve os braços até o alto da cabeça, alongando-os bem. Mantenha os olhos fixos e concentrados em um ponto adiante.

Expirando, flexione o corpo lateralmente para o lado esquerdo. Vá até onde se sentir confortável e permaneça na postura respirando livremente.

Inspirando, volte os braços para o alto da cabeça. Em seguida, expirando, flexione o corpo lateralmente para o lado direito. Procure ficar nesta postura o mesmo tempo que permaneceu do outro lado.

Inspirando, volte os braços para o alto da cabeça e, expirando, desça-os à frente, desmanchando a postura.

BENEFÍCIOS. Alonga as laterais do corpo e irriga os órgãos internos: quando a gestante flexiona para o lado esquerdo, trabalha principalmente o baço e o ovário esquerdo; para o lado direito, especialmente o fígado e o ovário direito. Promove o alongamento da coluna, combate as gordurinhas da cintura e abre a caixa torácica e os pulmões beneficiando a respiração. É ótimo, ainda, para as gestantes com gravidez avançada e barriga alta: este exercício abre um espaço interno, prevenindo o desconforto dos "chutes" do bebê nas costelas.

BENEFÍCIOS PARA O BEBÊ. Cada vez que a gestante flexiona para os lados está massageando o bebê e abrindo espaços na barriga para ele se acomodar melhor.

INDICAÇÕES

Grávidas de todos os trimestres.

CONTRA-INDICAÇÕES

Gestantes com algum problema de coluna.

CHACRAS TRABALHADOS. Cardíaco e umbilical.

Duikonasa ou Descanso da Coluna

Em pé, com os pés bem separados, entrelace as mãos atrás do corpo, virando as palmas em direção às nádegas.

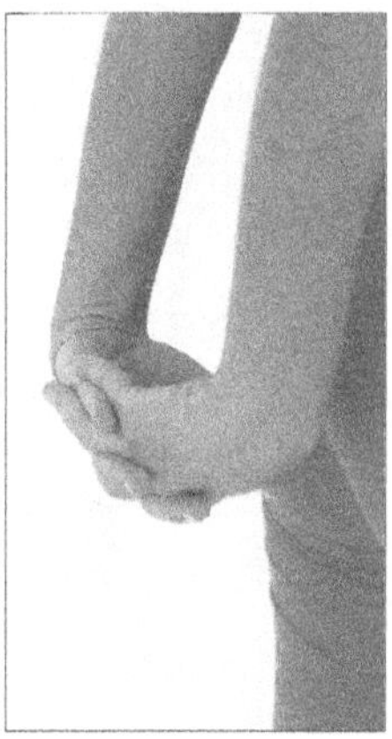

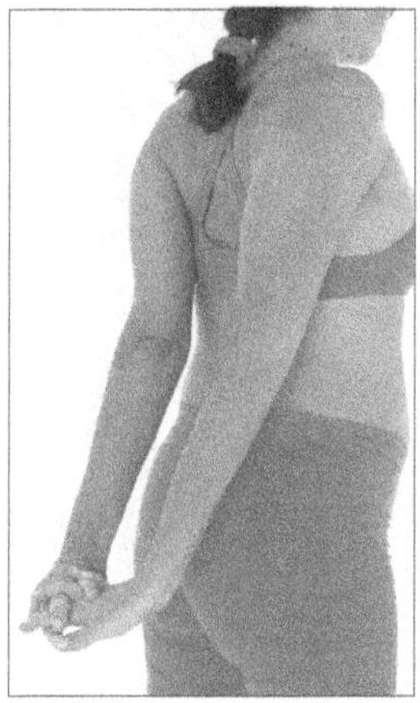

Expirando, erga os braços o mais alto que conseguir e leve o corpo para a frente soltando bem a cabeça e deixando o corpo completamente alongado. Fique na postura o tempo que quiser, mas preste atenção para manter as mãos entrelaçadas.

Inspirando, volte à posição inicial bem devagar procurando sentir vértebra por vértebra retornando ao lugar.

Dica: Este exercício pode ser feito fora da série, sempre que a gestante desejar se alongar (por exemplo, em um intervalo do expediente de trabalho).

BENEFÍCIOS. Alonga incrivelmente a coluna inteira, trazendo grande alívio a dores em todas as áreas das costas. Como provoca uma leve inversão do corpo, irriga e oxigena o cérebro gerando melhoria da memória e retardo do envelhecimento. Trabalha a circulação sangüínea evitando os problemas circulatórios comuns às grávidas.

BENEFÍCIOS PARA O BEBÊ. Esta postura realiza uma compressão nas veias e artérias que alimentam a placenta aumentando a irrigação do bebê.

INDICAÇÕES

Gestantes de todos os trimestres com a gestação decorrendo tranqüilamente.

CONTRA-INDICAÇÕES

Gestantes com risco de aborto ou com problemas sérios de coluna.

CHACRAS TRABALHADOS. Básico, esplênico e umbilical.

Hastinasana ou Relax Dinâmico

Em pé, com os pés bem separados, deixe os braços bem relaxados (como se estivessem pesados) e bem soltos ao longo da lateral do corpo. Mantendo a respiração livre, faça um balanço com o corpo para um lado e depois para o outro, torcendo-o como se quisesse olhar para o calcanhar oposto. (Tente realmente olhar para o calcanhar, mesmo que não o veja, porque assim vai provocar uma leve torção no corpo. Faça o exercício sem levantar o calcanhar do chão.)

Se quiser, pode fazer um enroscamento dos braços no corpo. Repita para os dois lados quantas vezes desejar.

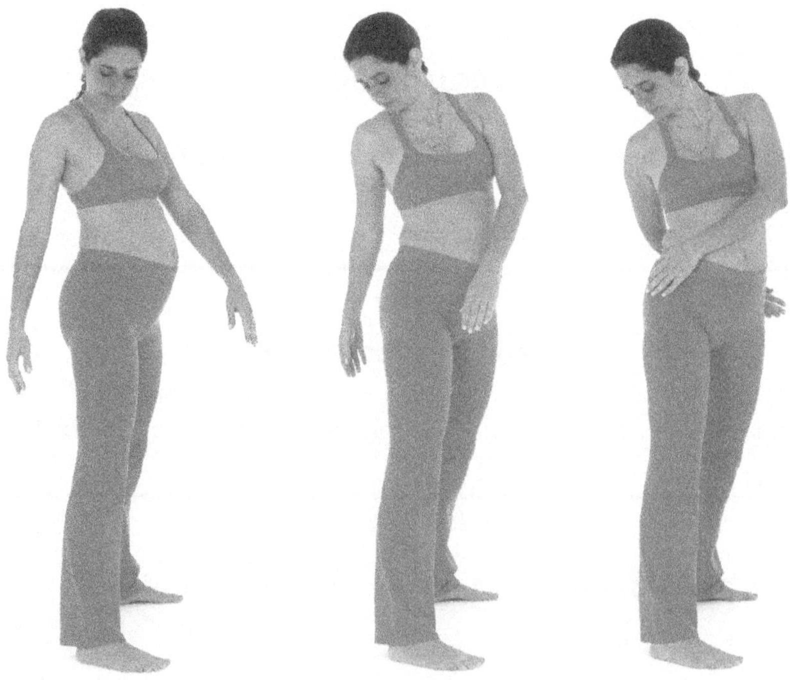

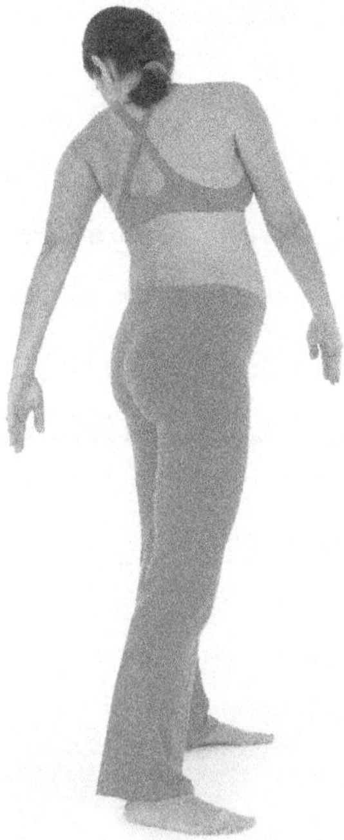

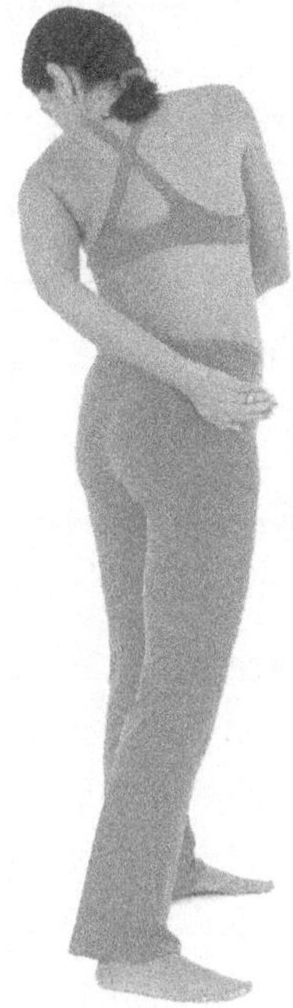

BENEFÍCIOS. Relaxa totalmente a coluna (inclusive a região cervical), os braços e os ombros. É como se a gestante estivesse fazendo um relaxamento em pé. A leve torção que provoca na coluna alivia e evita dores. Trabalha toda a área da cintura, eliminando excessos de gordurinhas.

BENEFÍCIOS PARA O BEBÊ. Este exercício faz uma massagem interna no bebê. Além disso, este "balancinho" o embala dentro da barriga.

INDICAÇÕES

Gestantes de todos os trimestres.

CONTRA-INDICAÇÕES

Gestantes na fase de enjôos ou com problemas de labirinto podem ficar tontas. Para conseguirem fazer este exercício, devem praticá-lo com os olhos fechados e sem balançar o corpo: devem permanecer na torção o tempo que acharem necessário e depois voltar o corpo para a frente, parar um pouco e realizar a torção para o outro lado.

CHACRA TRABALHADO. Umbilical.

Garudasana ou **Postura do Pássaro ou da Águia**

Em pé, fixe um ponto à frente. Junte os pés e os joelhos, flexionando os joelhos levemente. Passe a perna esquerda por cima do joelho direito, apoiando o pé sobre o calcanhar (ou onde conseguir) para deixar a perna firme.

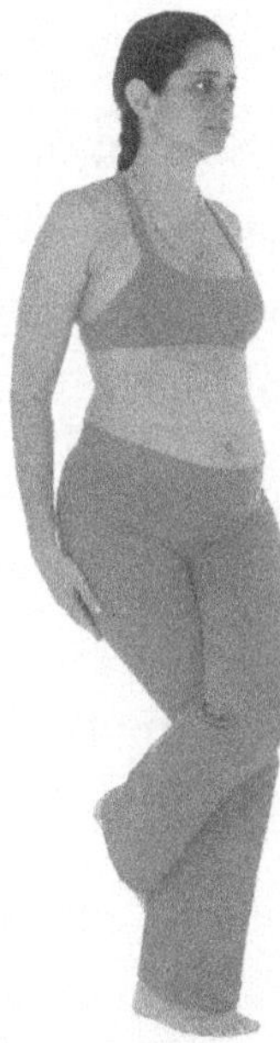

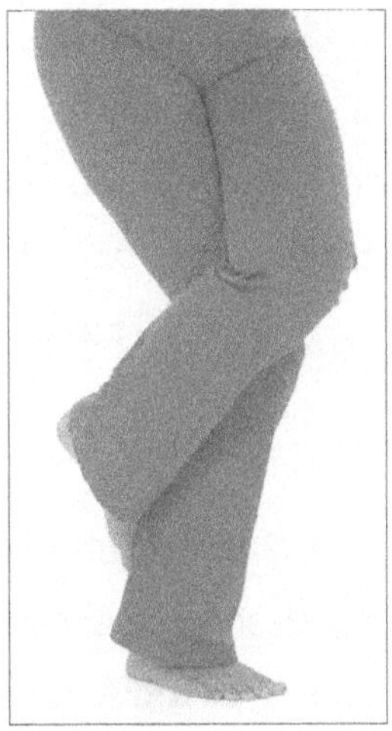

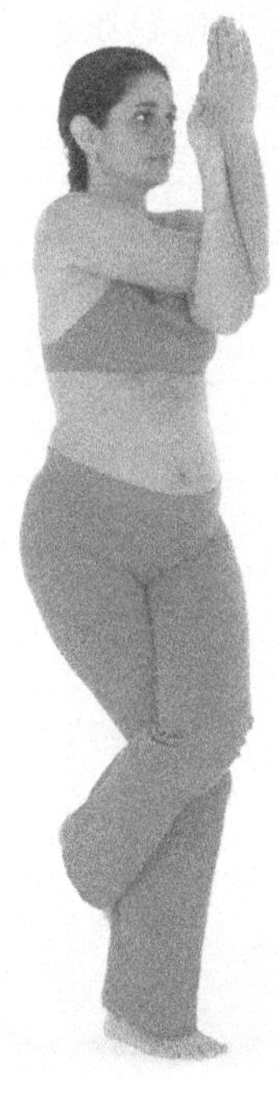

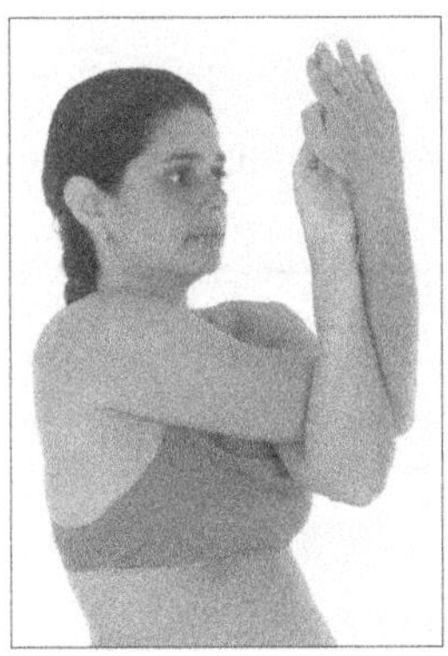

Una os braços à frente, colocando o cotovelo direito sobre o braço esquerdo. Entrelace as mãos em cima, encostando palma com palma.

Fique nesta postura respirando livremente o tempo que conseguir. Lembre-se de manter os olhos sempre fixos num ponto à frente.

Ao desfazê-la, comece pelos braços e depois volte as pernas à posição inicial.

Repita o exercício com a outra perna, alternado também os braços: agora é o cotovelo esquerdo que passa sobre o braço direito.

BENEFÍCIOS. Postura importantíssima para quem tem problemas de coluna, porque a alonga totalmente. Ótimo para prevenir a compressão do nervo ciático, que causa dores na coluna muito intensas. Fortalece e alonga a musculatura das pernas e dos braços e trabalha as articulações. Ajuda na concentração e no equilíbrio. Traz benefícios até mesmo para o campo estético: evita celulite.

BENEFÍCIOS PARA O BEBÊ. Indiretamente, a postura irriga profundamente o bebê: ao comprimir e descomprimir as partes superior e inferior do corpo, o feto é beneficiado com a ativação da circulação na região.

INDICAÇÕES

Grávidas de todos os trimestres que estejam bem de saúde e para as que precisem alongar melhor a coluna.

CONTRA-INDICAÇÕES

Gestantes com problemas graves de coluna. As obesas dificilmente vão conseguir fazer esta postura.

CHACRAS TRABALHADOS. Cardíaco e básico.

Estiramentos Laterais

Em pé, com os pés bem separados, entrelace as mãos à frente e, inspirando, eleve os braços e alongue-os bem acima da cabeça.

Vire as palmas das mãos para cima e flexione o tronco totalmente para a lateral do corpo.

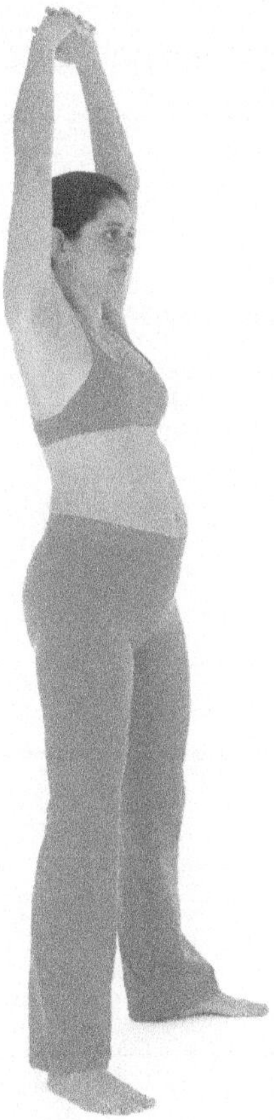

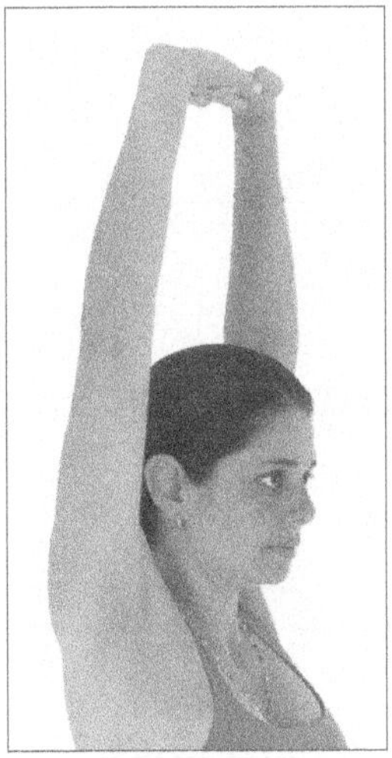

Apóie na cabeça o braço que está à frente do corpo, enquanto o outro que se encontra mais baixo puxa para baixo. Concentre o olhar no cotovelo. Mantenha a respiração livre e fique nesta posição o máximo de tempo que puder.

Para voltar, vire o corpo para a frente, estique os braços, desvire as palmas das mãos e descanse um pouco. Vire as palmas novamente para cima e faça o mesmo movimento para o outro lado. Procure ficar o mesmo tempo na postura.

Desfaça o movimento da mesma forma e, expirando, vá descendo os braços à frente.

BENEFÍCIOS. Realiza um ótimo alongamento da coluna (principalmente da região cervical), fazendo uma leve torção. Trabalha a concentração e gera espaços nas laterais do abdômen da grávida.

BENEFÍCIOS PARA O BEBÊ. Este exercício faz uma leve compressão, que traz maior irrigação para o bebê. Ele também ganha mais espaços laterais na barriga, acomodando-se melhor.

INDICAÇÕES

Grávidas de todos os trimestres.

CONTRA-INDICAÇÕES

Gestantes com problemas graves de coluna.

CHACRA TRABALHADO. Cardíaco.

Konasana ou **Postura Lateral**

Em pé, com os pés bem separados, centralize bem o seu corpo: nivele os ombros e olhe para a frente.

Expirando, flexione o corpo lateralmente, fazendo o seguinte movimento com os braços: enquanto uma mão escorrega pela perna, a outra vai subindo pela lateral do corpo, até chegar à axila. Mantenha o olhar para cima e fique nesta posição o tempo que quiser, com a respiração livre.

Inspirando, volte à posição inicial. Repita o exercício para o outro lado, expirando.

BENEFÍCIOS. A compressão realizada neste exercício massageia os órgãos abdominais da região da cintura e provoca uma forte irrigação sangüínea. Isso traz benefícios para o baço, o pâncreas e o fígado, e estimula os movimentos do intestino. Este alongamento lateral também favorece a coluna e elimina o excesso de gordurinhas na cintura (os famosos "pneuzinhos").

BENEFÍCIOS PARA O BEBÊ. A massagem do exercício e o movimento que ele provoca se traduzem em um embalo gostoso para o bebê.

INDICAÇÕES

Grávidas com problemas digestivos (como azia), com desconfortos na coluna e com o bebê muito alto, o que incomoda suas costelas, (como o exercício faz um bom alongamento lateral, há um ganho de espaço na barriga para o bebê).

CONTRA-INDICAÇÕES

Grávidas com problemas graves de coluna, como hérnia de disco.

CHACRA TRABALHADO. Umbilical.

Chandrasana ou **Postura da Meia-lua**

Em pé, com as pernas bem separadas, abra os braços em cruz. Expirando, desça um dos braços para a lateral do corpo e, ao mesmo tempo, vire para cima a palma da mão do outro braço. Ainda expirando, vá flexionando o corpo para o lado do braço que está para baixo e, simultaneamente, curvando o braço elevado formando uma meia-lua. A ponta dos dedos da mão do braço que está para baixo tocam na perna. Os olhos ficam fixos nos dedos da meia-lua. Fique nessa postura o tempo que quiser, mantendo a respiração livre.

Volte inspirando e desça os braços expirando. Repita o exercício para o outro lado, procurando permanecer na postura pelo mesmo tempo.

BENEFÍCIOS. É feita uma massagem e uma compressão nos órgãos abdominais da região da cintura, gerando uma forte irrigação sangüínea sobre o baço, o pâncreas e o fígado. Favorece o funcionamento do intestino, alonga a coluna, elimina excessos de gordura nas laterais da cintura e abre bem a caixa torácica ampliando a capacidade respiratória.

BENEFÍCIOS PARA O BEBÊ. A massagem do exercício e o movimento que ele provoca embalam o bebê.

INDICAÇÕES

Gestantes de todos os trimestres.

CONTRA-INDICAÇÕES

Grávidas com problemas graves de coluna.

CHACRA TRABALHADO. Umbilical.

Folha Dobrada

No chão, fique na posição de quatro apoios com os braços bem esticados. Leve as mãos à frente, mantendo as nádegas alinhadas com os joelhos (nem para a frente, nem para trás) que devem ficar bem separados. Dobre os cotovelos e encoste o topo da cabeça no chão, posicionando-a atrás da linha das mãos. Para amenizar a pressão, pode colocar uma pequena almofada debaixo da cabeça. O importante é acomodar bem a cabeça.

Assim que sentir que está numa posição confortável, solte os braços e coloque-os por baixo da barriga, com as palmas das mãos viradas para cima. (Observe que o peso do corpo não vai estar sobre os braços, mas sobre a cabeça e os joelhos.)

Sinta-se bem relaxada nesta posição e permaneça nela o tempo que desejar. Mantenha a respiração livre.

Desfaça a postura com cuidado: como vai muito sangue para a cabeça, não faça movimentos bruscos. Leve as mãos à frente, sente-se sobre os calcanhares e coloque a testa no chão. ***Não levante a cabeça ainda:*** fique um tempo assim, para que o sangue retorne lentamente.

Comece a levantar a cabeça bem devagar, inspirando. A cabeça vai puxando o tronco vagarosamente (sempre inspirando) até que você consiga se sentar.

VARIAÇÕES DA POSTURA:

- As pessoas com dificuldade em fazer esta postura, podem manter os cotovelos apoiados no chão.
- Se mesmo usando uma almofada você continuar sentindo desconforto na cabeça, pode fazer uma postura mais suave, que traz os mesmos benefícios:

apóie os cotovelos no chão e, com as mãos em concha, apóie a testa. Dessa maneira, o peso ficará sobre os cotovelos e os joelhos. Desfaça a postura da mesma forma.

BENEFÍCIOS. Como vai muito sangue para a cabeça, esta postura é altamente benéfica para o cérebro, irrigando-o e oxigenando-o. Isso melhora a concentração e a memória, e retarda o envelhecimento. Esta postura produz um efeito bastante relaxante e alonga toda a coluna, principalmente a região cervical. Por se tratar de uma leve inversão, tira todo o peso dos ombros, da coluna e dos órgãos pélvicos, propiciando relaxamento em toda essa região e um grande alívio às gestantes mais avançadas, que já lidam com o excesso de peso da barriga.

BENEFÍCIOS PARA O BEBÊ. Esta postura promove um grande aumento de espaço na barriga, que desce como se fosse uma rede, garantindo uma boa acomodação para o bebê.

INDICAÇÕES

A maioria das grávidas pode fazer, mesmo quando está apresentando contrações precoces devido a questões emocionais. Esta postura acalma e equilibra o sistema nervoso.

CONTRA-INDICAÇÕES

Grávidas hipertensas, mas pode ser feito com a supervisão de um professor de yoga. Também é desaconselhável para aquelas com problemas nos joelhos e nas cervicais.

CHACRAS TRABALHADOS. Todos, principalmente o coronário.

Vajrasana ou **Postura do Raio ou Diamante**

Esta é uma postura de meditação. Sente-se sobre os calcanhares, mantendo a coluna alinhada e as mãos descansando sobre as coxas (durante o dia, as palmas ficam viradas para cima; à noite, ficam viradas para baixo). Deixe o peito expandido, com os ombros bem abertos. De olhos fechados, respire profundamente de maneira lenta e natural. Fique assim o tempo que quiser.

Caso você sinta dificuldade em permanecer sentada sobre os calcanhares, pode optar pelas seguintes variações:

* Sente-se em um banquinho japonês do tipo *sei-za*.

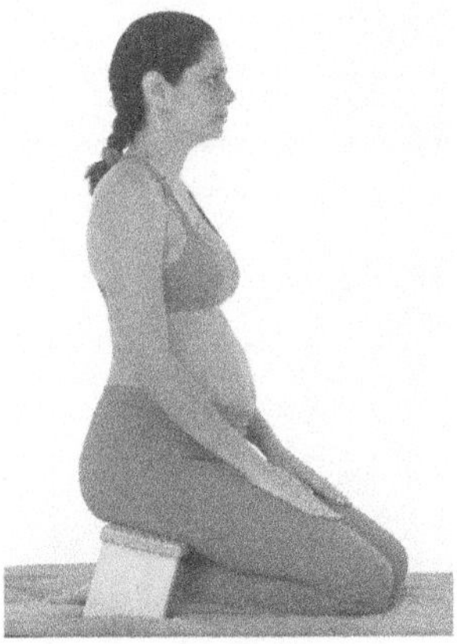

* Coloque uma pequena almofada entre seus pés e o chão e outra entre os pés e as nádegas.
* Sente-se colocando um pé sobre o outro e, de vez em quando, troque-os.

BENEFÍCIOS. Colabora para a boa postura da gestante, mantendo a coluna elevada e alinhada. Grávidas que sofrem de azia e com a barriga alta podem se sentar dessa maneira por dez minutos após as refeições. Isso facilita muito a digestão. Esta postura aprimora a capacidade respiratória, beneficia as articulações e trabalha a concentração e a mentalização.

BENEFÍCIOS PARA O BEBÊ. A quietude atingida pela gestante é transmitida ao bebê. Neste momento de introspecção, a mãe consegue se comunicar mais intimamente com seu filho.

INDICAÇÕES

Gestantes de todos os trimestres.

CONTRA-INDICAÇÕES

Grávidas com problemas para sentar nesta posição, devido a cirurgias ou lesões nos joelhos ou pés.

CHACRA TRABALHADO. Básico.

PRANAYAMAS

A seguir, apresentamos uma série de exercícios respiratórios que podem ser feitos na postura *Vajrasana*. Eles são chamados *pranayamas* (*prana* significa "energia vital"; *yama*, controle) e efetuam um "controle da energia vital". Todas as respirações do yoga levam a este controle da energia vital. Existem mais de cem *pranayamas*, mas alguns são contra-indicados na gravidez.

Os *pranayamas* aqui indicados constituem um reaprendizado da respiração. A maior parte das pessoas respira de forma errada (desaprendem a respirar), devido a hábitos nocivos desde a infância, como usar roupas apertadas ou só respirar superficialmente. Isso gera uma diminuição da capacidade respiratória — problemas como asma, bronquite e alergias são conseqüência, em boa parte, da respiração curta e superficial.

Para as gestantes, o reaprendizado da respiração é muito importante, porque as ajuda no controle das emoções durante a gravidez e na hora do parto, e amplia sua capacidade respiratória quando a barriga estiver grande demais a ponto de comprimir o diafragma. Veja agora os *pranayamas* mais benéficos para as mamães:

RESPIRAÇÃO TORÁCICA

Em *Vajrasana*, coloque os polegares nas axilas, deixando os outros dedos sobre o peito. Vá abrindo os ombros e os cotovelos, como se quisesse encostar um cotovelo no outro nas costas (obviamente, não dá para conseguir — é só a intenção).

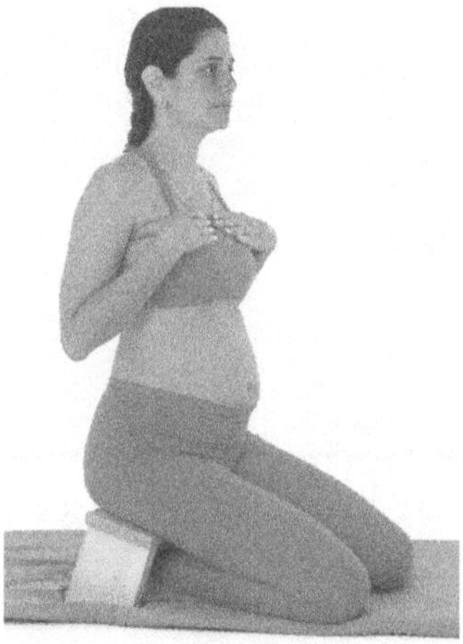

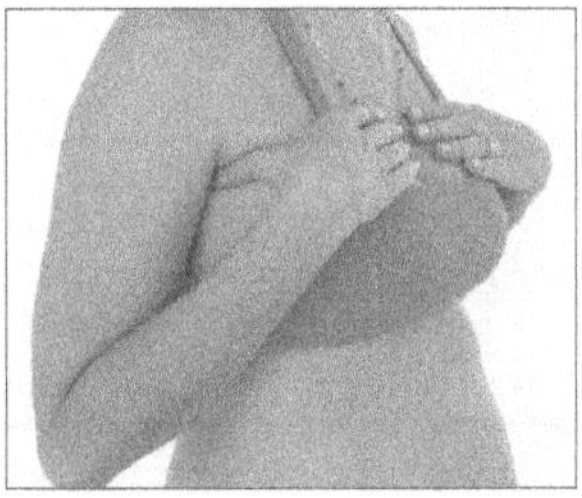

Expanda sua caixa torácica, para que as mãos se afastem uma da outra. Quando chegar ao limite máximo, comece a contrair a caixa torácica: os dedos voltarão a se encontrar no meio do peito.

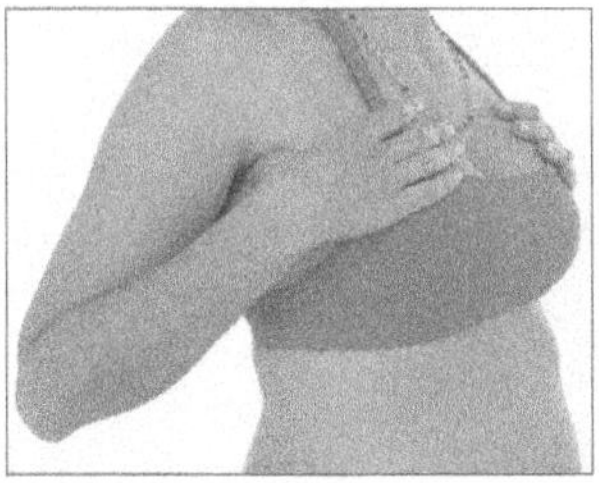

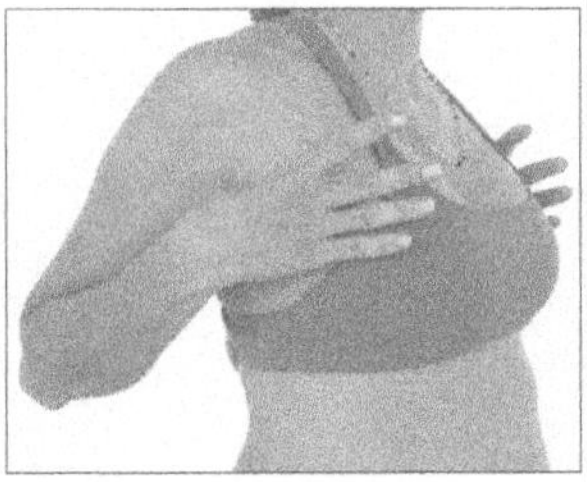

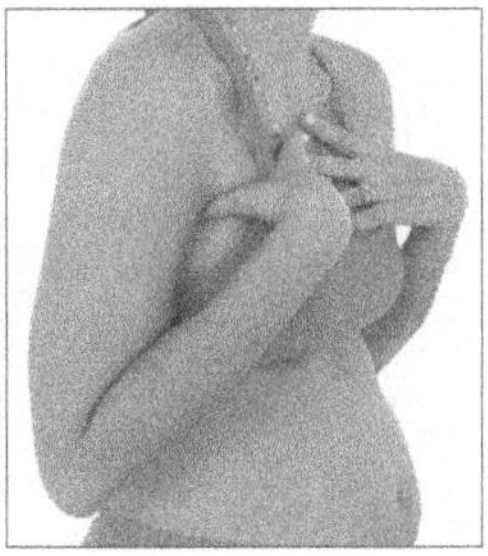

Neste exercício, o mais importante não é se concentrar na respiração, mas no movimento. No momento em que expandir a caixa torácica, você perceberá que o ar entra naturalmente. Quando voltar à posição inicial, a expiração ocorre sem qualquer esforço.

Repita quantas vezes quiser, o tempo que desejar.

BENEFÍCIOS. Expande a caixa torácica e aumenta a capacidade respiratória. Fortalece a musculatura dos ombros, braços e peito, ajudando na manutenção da postura adequada.

BENEFÍCIOS PARA O BEBÊ. Ele recebe mais oxigênio.

INDICAÇÕES

Gestantes de todos os trimestres.

CONTRA-INDICAÇÕES

Não há.

CHACRA TRABALHADO. Cardíaco.

RESPIRAÇÃO ABDOMINAL OU DIAFRAGMÁTICA

Coloque os polegares sobre o umbigo e faça um triângulo com as mãos (o encontro dos dedos indicadores forma o vértice do triângulo). Não faça pressão sobre a barriga — a mão fica ali simplesmente para canalizar energia. Este triângulo chama-se *trimurti mudrá* (*mudrá* significa "gesto" — "gesto de três faces").

Neste *pranayama* você vai trabalhar a capacidade do seu diafragma, o principal músculo do aparelho respiratório. Expanda a barriga e a encolha. Não se preocupe com a respiração: o ar entra naturalmente quando você expande a barriga e sai da mesma forma no momento em que a encolhe. Repita quantas vezes quiser.

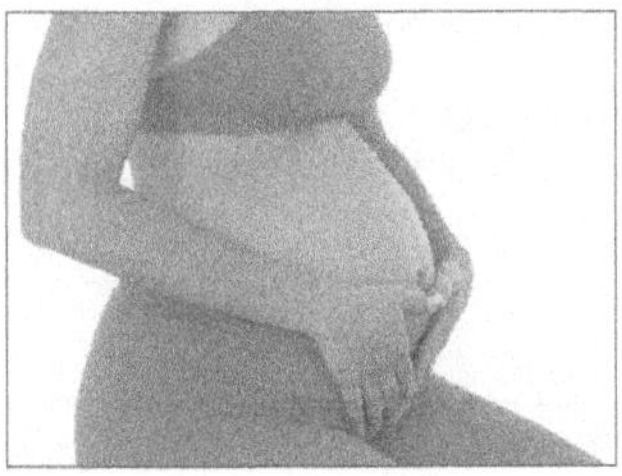

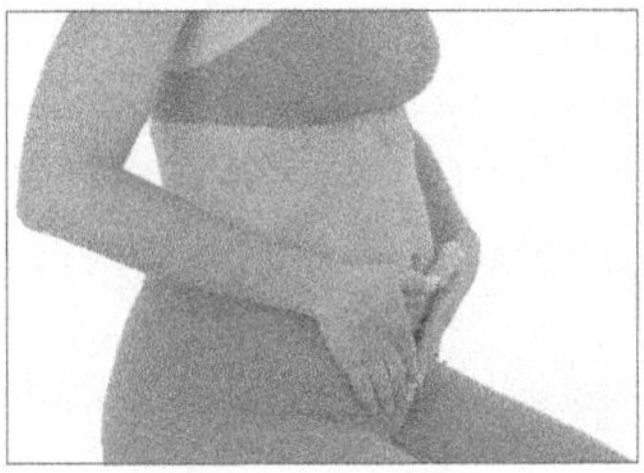

BENEFÍCIOS. Expandir a barriga, trabalha todos os músculos abdominais e exercita o diafragma corretamente. Essa expansão confere mais elasticidade para a parede do abdômen expandir o necessário ao longo dos nove meses de gravidez. A irrigação sangüínea da região previne o aparecimento de estrias.

Esta respiração é mais completa e profunda, levando ao controle respiratório. Quando a gestante controla o diafragma, ela pode também controlar suas emoções. Para tanto, basta observar que, quando uma pessoa fica alterada, sua respiração se torna ofegante. Então, se isto acontecer à futura mamãe (o que é normal, devido à grande flutuação de humores que ela vive), é só colocar o exercício em prática para controlar sua respiração e, automaticamente, vai recuperar seu equilíbrio emocional.

Esta respiração é essencial para a oxigenação da gestante. E, através dela, a mãe conseguirá respirar mais facilmente quando a barriga for crescendo e comprimindo o diafragma, o que traz um encurtamento da respiração.

BENEFÍCIOS PARA O BEBÊ. Ele é amplamente oxigenado. Além disso, quando a mãe faz exercícios que mexem o abdômen, o bebê sente como se recebesse uma massagem e estivesse sendo embalado no ventre.

INDICAÇÕES

Gestantes de todos os trimestres com boa saúde.

CONTRA-INDICAÇÕES

Gestantes com risco de aborto ou prematuridade, apresentando sangramentos ou contrações fora de época.

CHACRAS TRABALHADOS. Umbilical e esplênico.

RESPIRAÇÃO COMPLETA

Esta é uma junção das duas respirações anteriores. Mantenha as mãos em *trimurti mudrá* sobre o umbigo. Expanda a barriga e movimente os ombros bem para trás. Encolha a barriga e leve os ombros bem para a frente. Faça este exercício de forma bem relaxada, como uma onda, sem fazer esforços. Repita menos vezes do que os anteriores (no máximo 15 vezes).

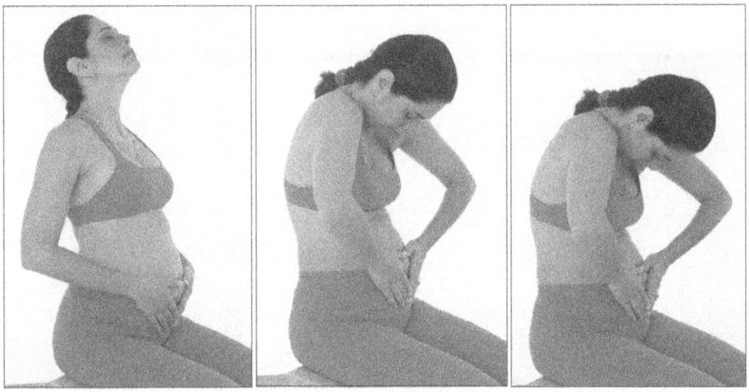

BENEFÍCIOS. Promove uma respiração que utiliza toda a capacidade pulmonar e oxigena completamente a gestante. É muito importante para o reaprendizado da respiração, porque exercita a musculatura durante as expansões. Quando estiver familiarizada com este tipo de respiração, esses movimentos acontecerão de forma sutil e autônoma.

BENEFÍCIOS PARA O BEBÊ. Amplia sua oxigenação e realiza uma suave massagem no bebê, que também se sente embalado pela movimentação abdominal.

INDICAÇÕES

Gestantes de todos os trimestres com boa saúde.

CONTRA-INDICAÇÕES

Gestantes com risco de aborto ou prematuridade, apresentando sangramentos ou contrações fora de época.

CHACRAS TRABALHADOS. Umbilical, esplênico, cardíaco e laríngeo.

SUKHA PURVAKA ou RESPIRAÇÃO ALTERNADA

Mantenha a mão esquerda em repouso abaixo da barriga, fazendo o *jnana mudrá* ("mudrá do conhecimento"): una o polegar e o indicador, deixando os outros dedos esticados. Esse *mudrá* canaliza a energia e fecha o circuito de energia, evitando a entrada de energias externas (a gestante vai trabalhar só com a energia dela).

Faça este mesmo *mudrá* com a mão direita, a qual vai estar tampando as narinas. Inicie tampando a narina direita com o dedo médio e inspirando pela narina esquerda. Segure a respiração e tampe com o mesmo dedo a narina esquerda, expirando pela direita. Mantenha a narina esquerda tampada e inspire pela direita. Segure a respiração e tampe mais uma vez a narina direita, expirando pela esquerda. E assim sucessivamente.

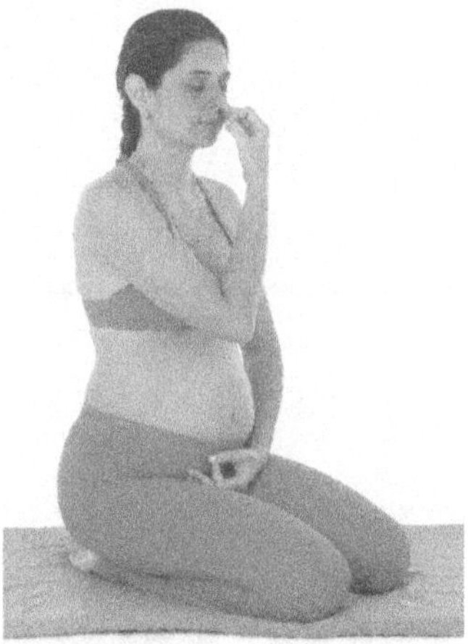

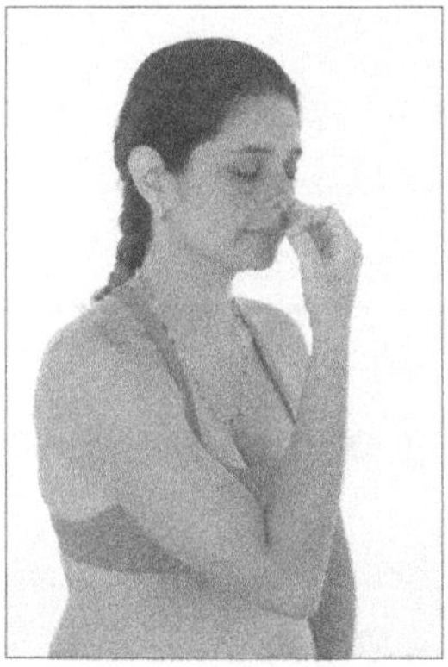

Para não errar, esteja em *Vajrasana* corretamente, de olhos fechados, fazendo uma inspiração bem longa e sutil, sem ruídos até o ar sair todo. Expire pela mesma narina (também de maneira longa e silenciosa), e apenas depois disso é que deve passar à inspiração pela outra narina. Quando quiser parar, tampe a narina esquerda e faça a última expiração pela narina direita. Você deve sempre começar tampando a narina direita e terminar tampando a narina esquerda.

BENEFÍCIOS. É uma das respirações mais benéficas e relaxantes para a grávida, porque a faz entrar em um outro estado de consciência (também chamado de "estado de consciência expandida" ou "estado alfa"), no qual relaxa profundamente. Induz ao sono (quando ela está com dificuldades para dormir) e ajuda na desobstrução nasal, principalmente para quem tem adenóide ou alergias respiratórias (ao entrar, o ar elimina bactérias e fungos que provocam alergias). Contribui para a oxigenação geral da grávida e libera endorfinas (hormônio do bem-estar), ajudando na eliminação de dores e desconfortos que possam estar incomodando a futura mamãe.

BENEFÍCIOS PARA O BEBÊ. Fica ainda mais oxigenado e sente grande bem-estar no ventre, graças às endorfinas que estão atuando na mãe.

INDICAÇÕES

Grávidas de todos os trimestres e para aquelas com insônia, muito nervosas ou com desconfortos físicos.

CONTRA-INDICAÇÕES

Gestantes com obstrução nasal muito grande (por exemplo, com nariz entupido devido a um resfriado).

CHACRAS TRABALHADOS. Laríngeo e frontal.

EXERCÍCIOS PARA OS SEIOS

ROTAÇÃO

Ainda em *Vajrasana*, coloque as duas mãos sobre os ombros e gire os braços, simultaneamente, como se estivesse desenhando um círculo com cada cotovelo. Faça dez repetições para cada direção, com a respiração livre.

BENEFÍCIOS. Trabalha a musculatura e as articulações dos braços e a musculatura peitoral, expandindo a caixa torácica ligeiramente — o que favorece a respiração — e fortalecendo a região para suportar o peso dos seios, que aumenta durante a gravidez. Ajuda no aprimoramento da coordenação motora.

BENEFÍCIOS PARA O BEBÊ. Prepara a mãe para um bom desempenho na amamentação.

INDICAÇÕES

Grávidas de todos os trimestres.

CONTRA-INDICAÇÕES

Não há.

CHACRA TRABALHADO. Cardíaco.

CONTRAÇÃO

Posicione os braços à frente do peito, na altura dos ombros, com as palmas das mãos segurando os pulsos (ou coloque as mãos sobre os bíceps ou uma palma da mão contra a outra). Faça uma leve pressão de um braço contra o outro, como se quisesse escorregar as mãos em direção aos cotovelos. Você vai sentir que, ao fazer esse movimento, os seios "saltam" graças ao trabalho imposto à musculatura peitoral. Repita quantas vezes quiser, com a respiração livre.

BENEFÍCIOS. Este exercício (também chamado de "contração isométrica") trabalha bastante a musculatura interna. Mantém os seios firmes, o que vai ser importante para sustentar o peso das mamas na gravidez e na amamentação. Também pode ser feito no pós-parto.

BENEFÍCIOS PARA O BEBÊ. Diretamente, durante a gestação, não há, mas prepara a mãe para um bom desempenho na amamentação.

INDICAÇÕES

Gestantes de todos os trimestres.

CONTRA-INDICAÇÕES

Não há.

CHACRA TRABALHADO. Cardíaco.

ENGRENAGEM

Inspirando, estenda os braços à frente do peito e deixe as mãos fechadas com os polegares para dentro, sem fazer força. Você vai trabalhar os ombros, como se fosse uma engrenagem: a cada movimento, um braço vai mais à frente do que o outro. Mantenha a respiração livre e repita quantas vezes quiser — mas pare antes de cansar.

BENEFÍCIOS. Prepara a musculatura dos seios para a amamentação e trabalha ombros e braços.

BENEFÍCIOS PARA O BEBÊ. Prepara a mãe para um bom desempenho na amamentação.

INDICAÇÕES

Grávidas de todos os trimestres.

CONTRA-INDICAÇÕES

Gestantes com alguma inflamação no ombro, como bursite.

CHACRA TRABALHADO. Cardíaco.

PUXANDO CORDA

Estique os braços à frente. Inspire e eleve o braço direito, bem no alto. Feche a mão e, expirando, vá descendo este braço, como se estivesse puxando uma corda para baixo (imagine que esta corda está presa a algo bem pesado e você tem que puxá-la com força, sempre mantendo os braços esticados e fazendo pressão apenas com o braço). Em seguida, eleve o braço esquerdo e faça o mesmo movimento com a mão.

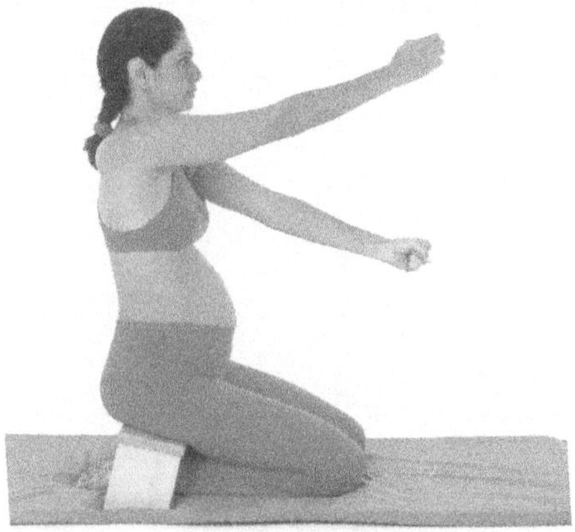

Repita dez vezes com cada braço, de maneira alternada (quando um braço chega em baixo, o outro, automaticamente, já está subindo).

BENEFÍCIOS. A pressão para baixo expande a caixa torácica, trabalha a musculatura peitoral e dos braços e corrige a postura de quem sofre de cifose (corcunda). O alongamento da musculatura favorece a grávida com a barriga alta, evitando o desconforto de sentir o bebê "entrar" pelas costelas e facilita sua respiração.

BENEFÍCIOS PARA O BEBÊ. Provoca um aumento de espaço interno, facilitando a sua acomodação.

INDICAÇÕES

Grávidas de todos os trimestres e para aquelas com a barriga muito alta.

CONTRA-INDICAÇÕES

Gestantes com problemas no ombro, como bursite.

CHACRA TRABALHADO. Cardíaco.

CRUCIFIXO

Posicione os braços à frente, com as mãos fechadas, mas sem fazer força. Inspirando, abra os braços em cruz, levando-os esticados bem atrás. Atenção para não dobrar os cotovelos! Quando chegar ao seu limite, volte expirando, até que as mãos se encontrem novamente na frente. Repita dez vezes.

BENEFÍCIOS. Melhora a capacidade respiratória e a circulação.

BENEFÍCIOS PARA O BEBÊ. Provoca um aumento do espaço interno, facilitando a sua acomodação e maior aporte sangüíneo.

INDICAÇÕES

Gestantes de todos os trimestres. Especialmente indicado para grávidas fumantes ou ex-fumantes, e com problemas respiratórios mais sérios.

CONTRA-INDICAÇÕES

Gestantes com problemas nos ombros ou com alguma fragilidade na musculatura peitoral.

CHACRA TRABALHADO. Cardíaco.

PRONAM MUDRÁ ou GESTO DA PRECE

Com os cotovelos elevados na altura dos ombros, traga as mãos à frente do peito em forma de prece, mas apontado para a frente como uma seta. Expirando, alongue os braços completamente à frente. Inspirando, traga de volta as mãos para o peito.

Detalhe: quando as mãos estiverem à frente, em seu máximo, puxe-as um pouquinho mais para caprichar no alongamento. Faça dez repetições.

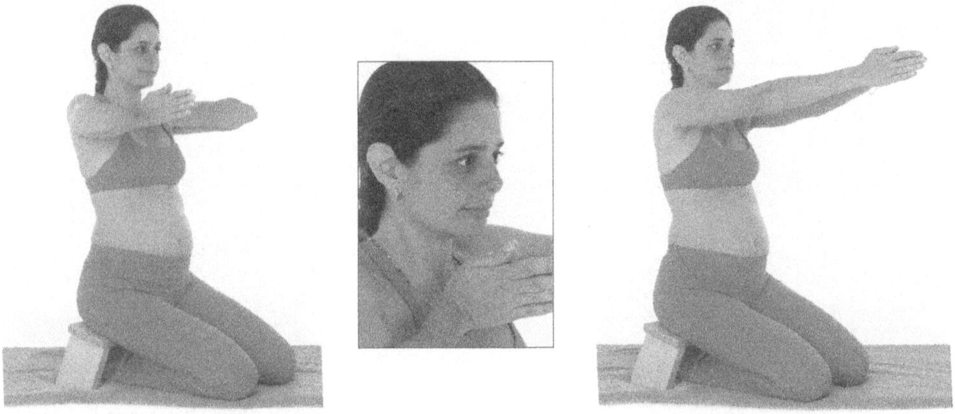

BENEFÍCIOS. Fortalece a musculatura dos braços e da região peitoral, e melhora a capacidade respiratória.

BENEFÍCIOS PARA O BEBÊ. Prepara a mãe para um bom desempenho na amamentação.

INDICAÇÕES

Gestantes de todos os trimestres. Especialmente indicado para grávidas fumantes ou ex-fumantes, e com problemas respiratórios mais sérios.

CONTRA-INDICAÇÕES

Não há.

CHACRA TRABALHADO. Cardíaco.

Gomukhâsana

Sente-se com as pernas cruzadas ou em *Vajrasana*. Coloque o braço esquerdo atrás da coluna, elevando as mãos o mais alto que conseguir. Com a mão esquerda passando sobre o ombro, tente pegar a mão direita e puxá-la. (Você pode usar um cinto ou uma tira para facilitar, se não conseguir unir as mãos.) O cotovelo direito vai ficar para cima, provocando um alongamento lateral. De preferência, olhe na direção do cotovelo. Pode fazer um balancinho com o corpo, para alongar um pouco mais.

Observação: a foto que apresentamos apresenta a mão direita passando sobre o ombro.

BENEFÍCIOS. Abre a caixa torácica e os espaços intercostais (nas fases mais adiantadas da gravidez, vai ser importante para evitar o possível desconforto de sentir o bebê entrando nas costelas), alonga bem a coluna (evitando a cifose) e melhora a postura.

BENEFÍCIOS PARA O BEBÊ. Da metade da gestação em diante, este exercício abre espaços para que o bebê se acomode melhor no fundo do útero.

INDICAÇÕES

Todas as gestantes com a gravidez decorrendo bem.

CONTRA-INDICAÇÕES

Grávidas com algum problema de inflamação nos ombros.

CHACRA TRABALHADO. Cardíaco.

Khandarana ou Ponte

Deite-se de barriga para cima, dobre as pernas trazendo os pés para bem perto das nádegas (os pés devem ficar bem separados). Segure os tornozelos (se você não alcançar, deixe as palmas das mãos viradas para baixo, bem próximas aos pés).

Inspirando, e eleve o quadril o mais alto possível. Ao chegar a um limite confortável, pare e deixe a respiração livre. Fique o tempo que quiser ou conseguir. Para voltar à posição inicial, vá expirando e descendo o quadril lentamente.

BENEFÍCIOS. A elevação do quadril fortalece a musculatura da parede abdominal, do útero e da coluna lombar. A leve inversão deste exercício incentiva o melhor posicionamento do bebê para o parto, estimulando aqueles que estão sentados a inverterem a posição. A compressão que ocorre na região glútea trabalha esta musculatura e evita a formação de celulite. Previne e alivia dores no nervo ciático.

BENEFÍCIOS PARA O BEBÊ. Graças ao balanço leve da postura, o bebê se sente embalado. Ele é estimulado a mudar de eixo caso esteja mal posicionado para o parto. Esta postura não interfere nos bebês que já estão numa boa posição para o nascimento.

INDICAÇÕES

Gestantes de todos os trimestres e, principalmente, para aquelas que estão com o bebê mal posicionado. Também é indicado para grávidas com desconfortos na região lombar.

CONTRA-INDICAÇÕES

Gestantes com hérnia de disco ou algum problema grave na coluna lombar. Também não é aconselhável para as que estão no 3° trimestre e sentem dor devido ao peso da barriga, porque não conseguirão ficar deitadas com a barriga para cima.

CHACRAS TRABALHADOS. Básico, esplênico e umbilical.

Torção com os Joelhos

Deite-se de barriga para cima, com as pernas flexionadas e os pés bem junto às nádegas. Os braços ficam alongados ao lado do corpo, com as palmas das mãos para baixo. Coloque a perna esquerda sobre o joelho direito (a perna direita deve estar totalmente relaxada). Inspirando, deixe o peso da perna esquerda fazer com que a perna direita caia para o lado esquerdo, sem que o pé direito saia do lugar (ele pode até virar totalmente, mas mantendo-se na mesma posição). Ao mesmo tempo, a cabeça gira para o lado oposto.
Observação: as fotos que apresentamos a seguir mostram o movimento da perna direita sobre o joelho esquerdo. Mas este exercício deve começar com a perna esquerda sobre o joelho direito.

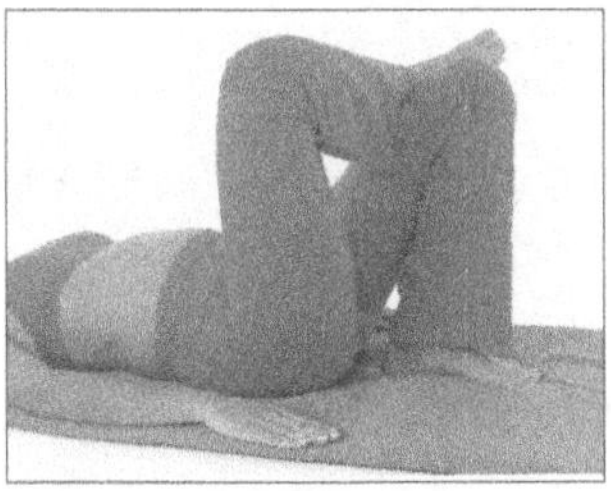

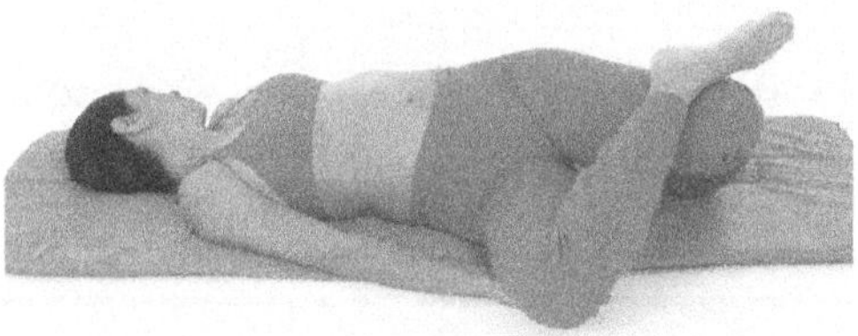

Mantenha a respiração livre e permaneça o tempo que quiser, enquanto for confortável para você. Expirando, volte a perna e a cabeça para o lugar. Troque a perna e repita para o outro lado, lembrando de virar a cabeça para o lado oposto ao da perna que desce.

Dica: Esta postura pode ser feita diariamente, mesmo fora da série. Ela beneficia muito as grávidas com dores na coluna. Pode, inclusive, ser repetida várias vezes ao dia. Dois outros bons momentos para praticá-la são antes de dormir e ao acordar, fazendo o exercício na própria cama.

BENEFÍCIOS. Alonga a musculatura da região lombar fortalecendo-a e oferece um grande bem-estar à grávida, que costuma ter dores nesta área devido ao peso da barriga e à mudança de seu eixo corporal durante a gravidez. Previne a chamada "lordose gravídica". Trabalha a cervical e realiza uma torção no corpo todo.

BENEFÍCIOS PARA O BEBÊ. Como a mãe relaxa nesta postura, ele sente grande tranqüilidade também.

INDICAÇÕES

Gestantes de todos os trimestres, principalmente para aquelas com dores na coluna.

CONTRA-INDICAÇÕES

Gestantes com problemas graves de coluna que a impeçam de se mexer, como hérnia de disco.

CHACRAS TRABALHADOS. Básico, esplênico e umbilical.

Vaso Capilar ou Baratinha

Deite-se de barriga para cima e eleve braços e pernas. Movimente as pernas, sacudindo-as intensamente, por no máximo três minutos (este tempo pode ser intercalado com pequenos descansos, segurando os joelhos com as mãos sem comprimir a barriga). Este exercício lembra os movimentos de uma barata morrendo após ter recebido inseticida.

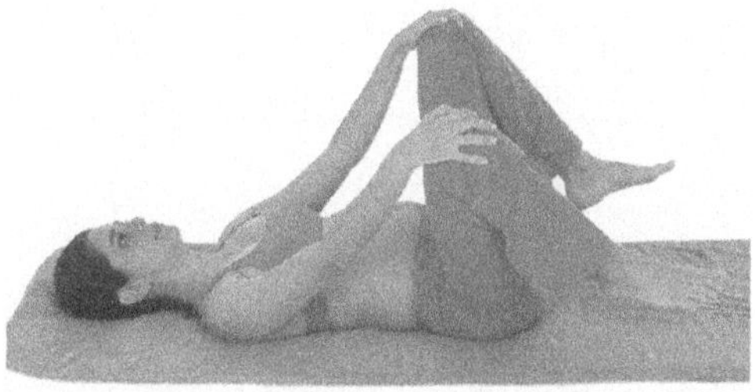

BENEFÍCIOS. Trabalha a circulação de retorno sangüíneo de braços e pernas. Alivia dores nas pernas, combate e evita inchaços e previne varizes. Ativa a circulação do corpo inteiro, porque retorna o sangue para a região do tronco. Assim, beneficia todos os órgãos abdominais, que recebem maior quantidade de sangue. Fortalece a musculatura das pernas, dos braços e do abdômen, e evita incisuras (compressões nas veias que podem levar à hipertensão na gravidez).

BENEFÍCIOS PARA O BEBÊ. Ocorre um maior aporte de sangue para a placenta, oxigenando melhor o bebê e deixando-o mais nutrido, favorecendo seu desenvolvimento.

INDICAÇÕES

Todas as gestantes com a gravidez correndo bem.

CONTRA-INDICAÇÕES

Grávidas com contrações fora de época e com risco de aborto ou prematuridade.

CHACRAS TRABALHADOS. Principalmente o cardíaco.

Abraçando os Joelhos

Deite-se de barriga para cima, com as pernas esticadas. Inspirando, traga a perna esquerda flexionada até as nádegas (com o pé se arrastando pelo chão) e então abrace o joelho esquerdo puxando-o para a lateral, de forma a não comprimir a barriga. Deixe o calcanhar da perna direita flexionado, com os dedos dos pés apontando para você. Permaneça nesta posição o tempo que quiser, com a respiração livre.

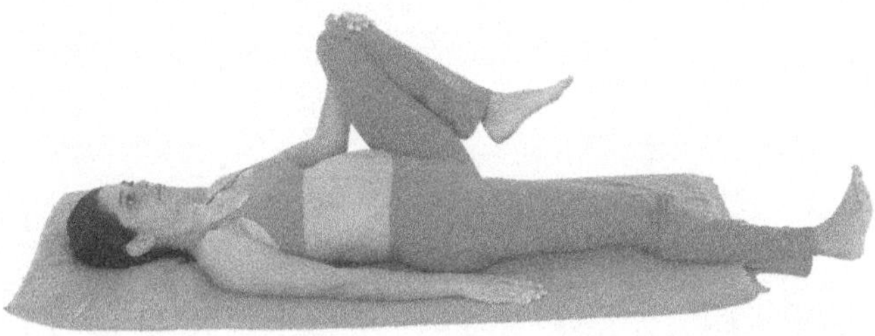

Para voltar à posição inicial, coloque o pé esquerdo próximo às nádegas e, expirando, vá deslizando-o até que a perna esteja totalmente esticada. Repita com a outra perna, procurando ficar na postura durante o mesmo tempo. Repita dez vezes para cada lado.

BENEFÍCIOS. Alonga a região lombar, aliviando as dores. Prepara o períneo e a abertura pélvica para o parto.

BENEFÍCIOS PARA O BEBÊ. Prepara a abertura pélvica para facilitar o parto.

INDICAÇÕES

Gestantes de todos os trimestres.

CONTRA-INDICAÇÕES

Gestantes com problemas graves na coluna ou no final da gravidez e que não consigam permanecer deitadas de barriga para cima.

CHACRA TRABALHADO. Básico.

Jathara Parivarthanasana ou **Pára-brisa**

Deite-se de barriga para cima, dobre as pernas mantendo os joelhos unidos e traga os pés o mais próximo possível das nádegas. Mantenha as palmas das mãos viradas para baixo, ao longo do corpo. Não use travesseiro sob a cabeça. (Quanto mais dura for a superfície onde fizer o exercício, mais completa será a massagem proporcionada por ele.)

Faça um movimento de pára-brisa com as pernas: tombe as duas pernas unidas para o lado esquerdo, enquanto a cabeça gira para o lado direito. Em seguida, inverta: as pernas descem para o lado direito e a cabeça, para o lado esquerdo.

Atenção: os pés viram, mas devem permanecer sempre no mesmo lugar, fixos ao chão.

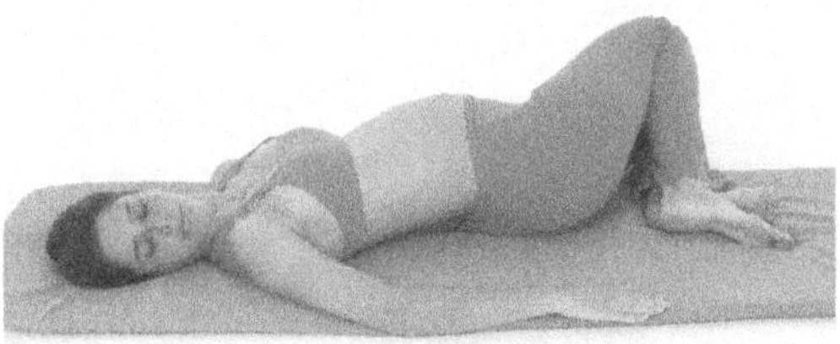

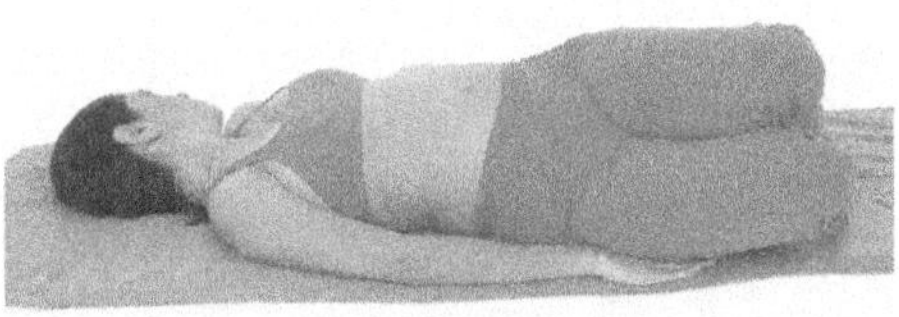

O exercício é dinâmico. Repita quantas vezes quiser, sem fazer pausa entre um lado e o outro — exatamente como um pára-brisa. Mantenha a respiração livre.

BENEFÍCIOS. Massageia toda a coluna, principalmente as regiões lombar e cervical. Alonga a coluna e previne e alivia dores nas costas. Trabalha a musculatura da cintura e do abdômen. Relaxa profundamente todo o corpo.

BENEFÍCIOS PARA O BEBÊ. O balanço do corpo da mãe o embala e o deixa relaxado.

INDICAÇÕES

Gestantes de todos os trimestres.

CONTRA-INDICAÇÕES

Gestantes com problemas sérios de coluna e no final da gravidez que não conseguem permanecer deitadas de barriga para cima.

CHACRAS TRABALHADOS. Básico e laríngeo.

Matsya Kridasana ou **Relaxamento Lateral**

Deite-se primeiro sobre o lado esquerdo, deixando a perna de baixo esticada e a de cima flexionada. Se não se sentir confortável, coloque uma almofada grande ou o banquinho sei-za embaixo do joelho da perna que está flexionada. Deixe o braço que está em contato com o chão esticado ou dobrado sob a cabeça. O braço de cima pode ficar à frente do peito, com a mão tocando o chão, ou acomodado sobre o quadril. A respiração é livre. Observação: as fotos que apresentamos a seguir mostram o corpo deitado sobre o lado direito.

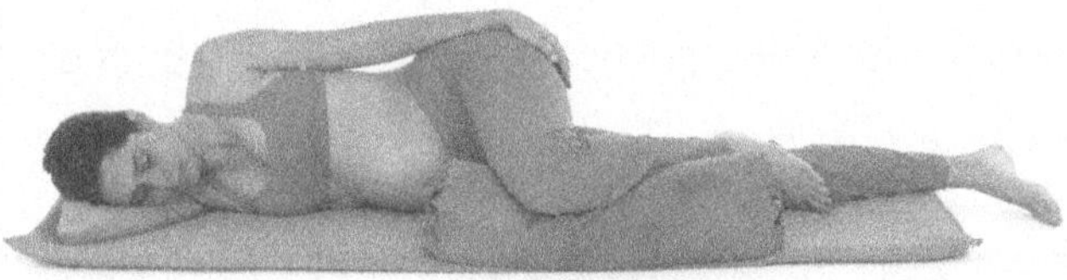

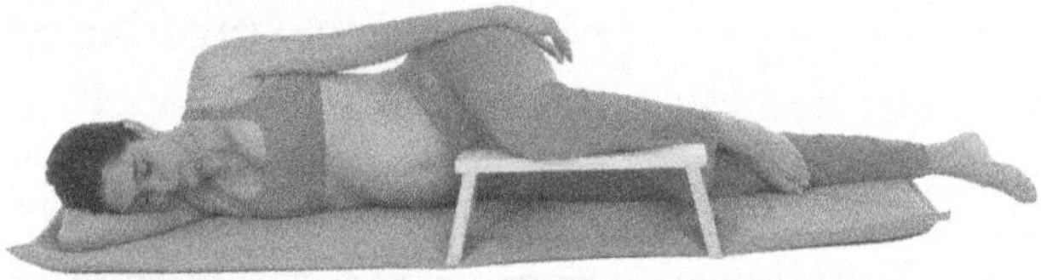

O importante não é a perfeição da postura, mas o relaxamento que ela proporciona. Por isso, acomode-se de lado da forma que achar melhor. Pode ficar bastante tempo nesta postura. Mas o tempo que dedicar para um lado deve ser o mesmo quando fizer do outro.

BENEFÍCIOS. Esta postura propicia um relaxamento muito grande. É a melhor posição para a grávida dormir e relaxar. E é ótima para conversar com o bebê, orar, agradecer... No final da gravidez e especialmente durante os intervalos das contrações no trabalho de parto, é recomendável que ela se deite sobre o lado esquerdo, para não pressionar a veia cava, que leva o retorno sangüíneo ao coração (se esta veia é pressionada, pode provocar falta de ar e aumento da pressão arterial).

BENEFÍCIOS PARA O BEBÊ. Sente grande tranqüilidade, graças ao bem-estar alcançado pela mãe. (Não se assuste se, nesta posição, seu bebê se mexer ainda mais. Algumas vezes, quando a mãe se deita, o bebê ganha mais espaço na barriga para se movimentar. Além disso, como ela está imóvel, ele pára de ser embalado pelo movimento do corpo e "acorda" para muitas brincadeiras dentro da barriga!)

INDICAÇÕES

Grávidas de todos os trimestres, principalmente as de alto risco que ficam muito tempo deitadas e precisam relaxar.

CONTRA-INDICAÇÕES

Não há.

CHACRAS TRABALHADOS. Todos.

Shavasana ou **Postura da Imobilidade**

Deite-se de barriga para cima, fazendo a postura clássica de relaxamento no yoga: palmas das mãos viradas para cima e pernas alongadas. O corpo silencia e relaxa completamente.

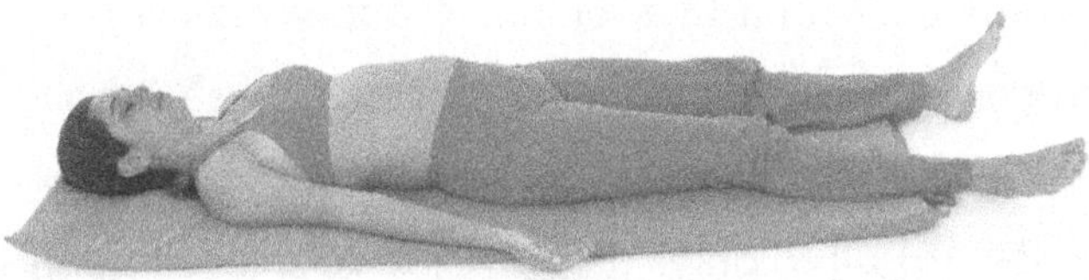

BENEFÍCIOS. Induz ao relaxamento, propiciando um grande bem-estar.

BENEFÍCIOS PARA O BEBÊ. Também sente um grande bem-estar.

INDICAÇÕES

Gestantes de todos os trimestres.

CONTRA-INDICAÇÕES

Mulheres com a gravidez mais avançada, devido à compressão do peso da barriga sobre a veia cava, provocando dor lombar e falta de ar.

CHACRAS TRABALHADOS. Todos.

Tensionamento Muscular

Deite-se de barriga para cima, com as pernas unidas e esticadas e os braços ao longo do corpo, com as mãos fechadas e apertadas. Alongue todo o corpo, aperte as mãos e tensione a musculatura facial, fazendo careta. *Atenção:* este exercício é um alongamento; não é para pressionar a barriga. Fique assim durante um segundo e relaxe. Repita várias vezes.

Quando você não dispuser de tempo para fazer a série completa e estiver muito tensa, esta é uma forma rápida de soltar o corpo. Você pode praticá-la no intervalo de seu trabalho, antes de dormir e ao acordar, pensando no seu bebê, acariciando-o e desejando-lhe uma vida bela e saudável.

BENEFÍCIOS. Provoca um relaxamento muscular intenso e imediato do corpo todo.

BENEFÍCIOS PARA O BEBÊ. Gera maior irrigação de sangue para o bebê e a sensação de bem-estar da mãe também é sentida por ele.

INDICAÇÕES

Gestantes de todos os trimestres que estejam desfrutando saúde.

CONTRA-INDICAÇÕES

Gestantes com algum risco de aborto.

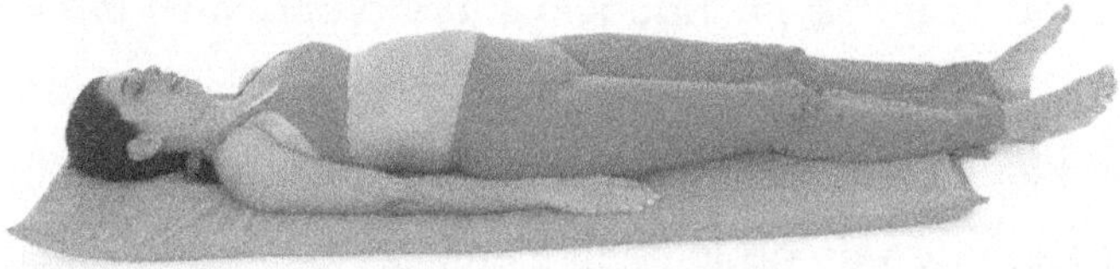

CHACRAS TRABALHADOS. Todos.

Respiração Diafragmática

Deite-se de barriga para cima. Dobre primeiro a perna esquerda e depois a direita, apoiando os joelhos um no outro. Sinta as pernas bem relaxadas. Traga as mãos em triângulo sobre o abdômen (*trimurti mudrá*).

A diferença desta respiração diafragmática para a que é feita sentada é que, agora, você vai incluir o trabalho de mentalização. Ao inspirar (com a expansão do abdômen), mentalize a entrada de coisas boas, como saúde, paz, luz a iluminar o seu mundo interno etc. Ao expirar (com a contração do abdômen), elimine toda a negatividade, colocando para fora tudo o que possa estar incomodando você e o bebê, transmutando a negatividade ao convocar a luz para iluminar sua vida.

BENEFÍCIOS. Todos que um relaxamento pode trazer: bem-estar, tranqüilidade, serenidade, paz, confiança na vida.

BENEFÍCIOS PARA O BEBÊ. Os mesmos sentidos pela gestante.

INDICAÇÕES

Gestantes de todos os trimestres com boa saúde.

CONTRA-INDICAÇÕES

Gestantes com risco de aborto ou prematuridade, apresentando sangramentos ou contrações fora de época.

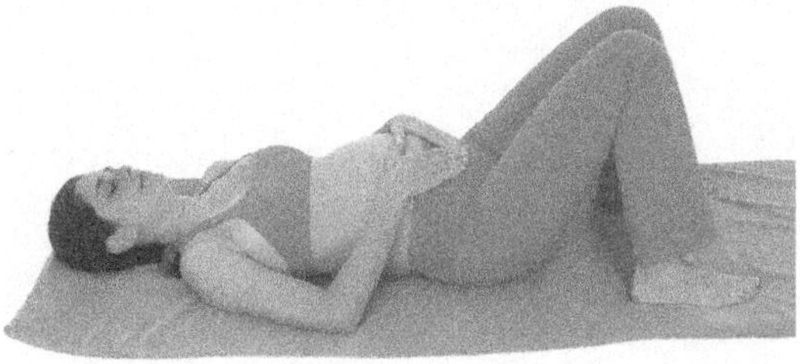

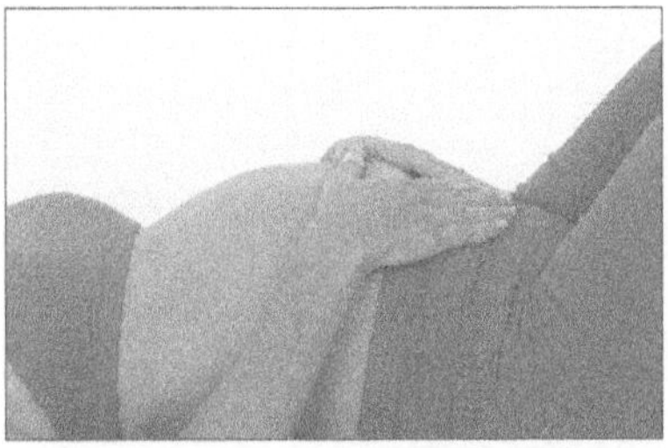

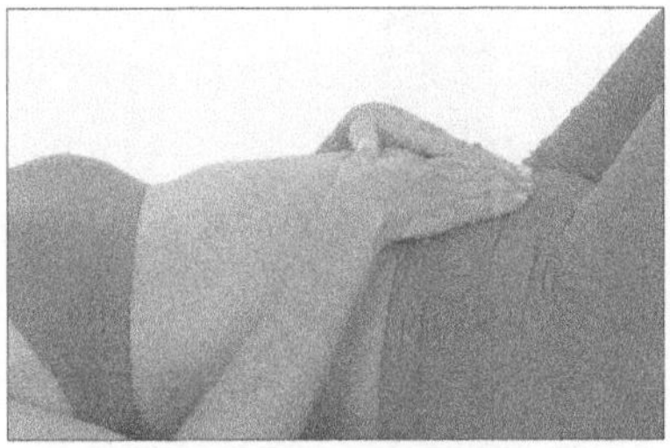

CHACRAS TRABALHADOS. Todos, especialmente o umbilical.

Yoga Mudrá

Sente-se sobre os pés, afaste bem os joelhos, coloque as mãos para trás e segure o pulso esquerdo com a mão direita. Expirando, flexione o corpo à frente, colocando a testa no chão. Mantenha-se na postura com a respiração livre.

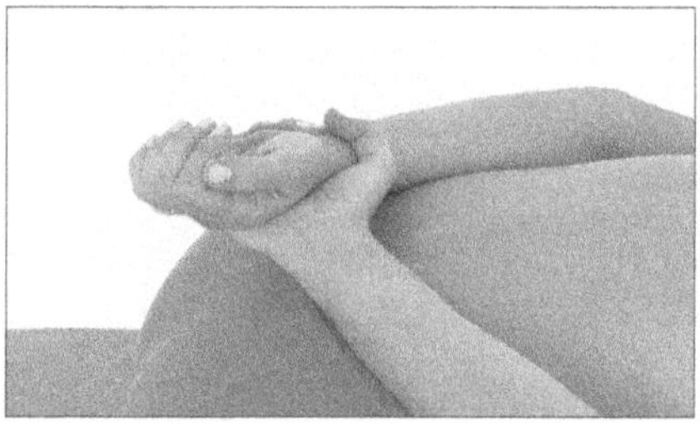

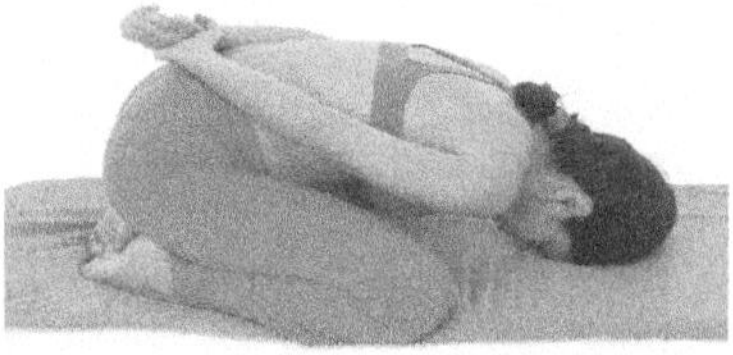

Inspirando, volte à posição inicial sem fazer movimentos bruscos. Leve as mãos à frente e vá levantando a cabeça bem devagar. A cabeça vai puxando o tronco vagarosamente (sempre inspirando) até que você consiga se sentar.

Variações:

* Ao flexionar o corpo, coloque as mãos à frente, formando o *trimurti mudrá*. Posicione a testa no meio do triângulo.

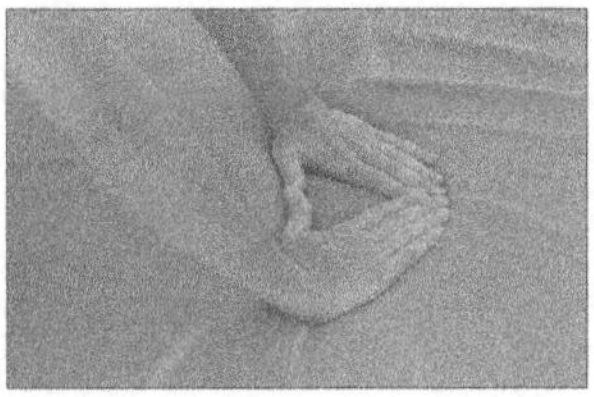

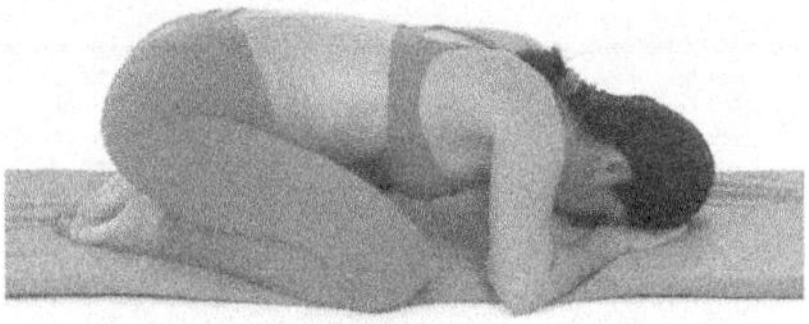

* Estique os braços à frente e encoste a testa no chão.

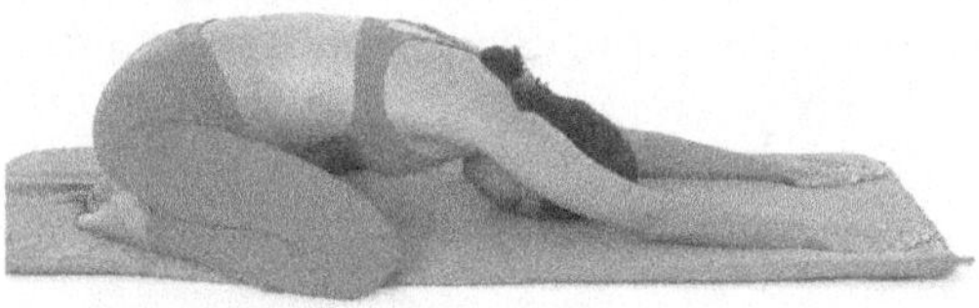

Em vez de sentar sobre os calcanhares, deixe as nádegas para o alto (como se fosse a posição de prece muçulmana) e, para posicionar os braços e a cabeça, escolha uma das três formas ensinadas.

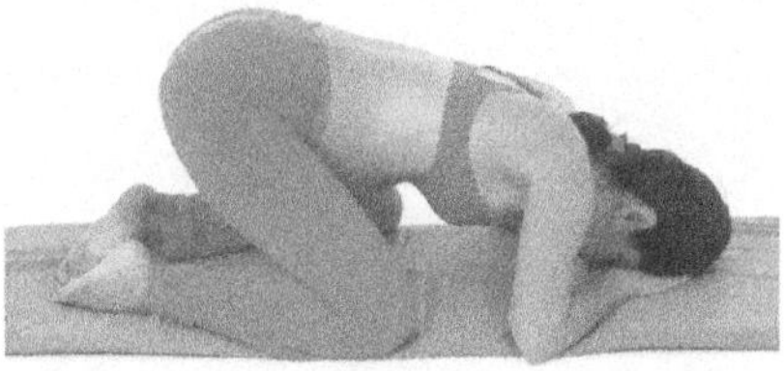

BENEFÍCIOS. Alonga bastante a coluna e irriga sangue para o cérebro. Traz um relaxamento muito grande porque libera muitas endorfinas.

BENEFÍCIOS PARA O BEBÊ. Ele se beneficia do relaxamento obtido pela mãe. O alongamento também gera mais espaço para o bebê no útero.

INDICAÇÕES

Gestantes de todos os trimestres. É ótima para grávidas em trabalho de parto, para relaxar nos intervalos das contrações.

CONTRA-INDICAÇÕES

Praticamente não existem.

CHACRAS TRABALHADOS. Cardíaco, laríngeo, frontal e coronário.

MEDITAÇÃO

Ao terminar sua série, você pode aproveitar o bem-estar alcançado e o estado de concentração para praticar meditação. Vale explicar que a meditação para o oriental é diferente da do ocidental. No Ocidente, as pessoas pensam em algum tema elevado enquanto meditam. No Oriente, meditar é não pensar em nada, é esvaziar a mente. Portanto, o que se chama de meditação no Brasil é, na verdade, uma reflexão. É um empenho para se chegar à meditação.

Para a gestante é importante meditar (mesmo que não tenha feito a série de yoga antes). Aqui, a sugestão é que você faça um exercício de concentração, no qual vai relaxar a sua mente e se desligar do ambiente à sua volta. Para tanto, escolha uma das posições das páginas seguintes. Respire livremente e permaneça o tempo que quiser.

Sukhasana ou **Postura Fácil**

Sente-se com as pernas cruzadas, mantenha a coluna alinhada, os ombros abertos e os olhos fechados. Deixe as mãos abaixo da barriga, com uma palma sobre a outra.

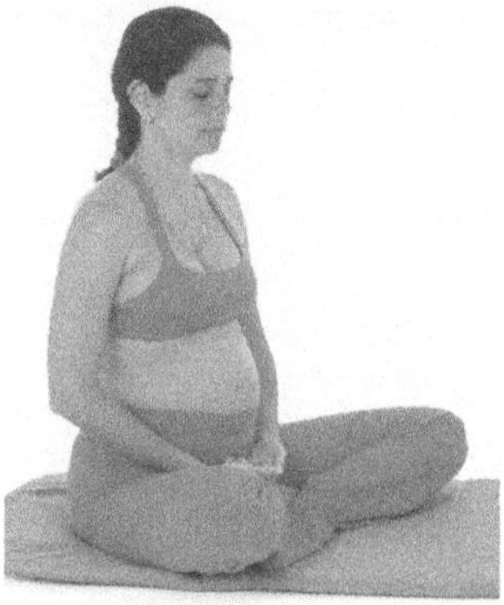

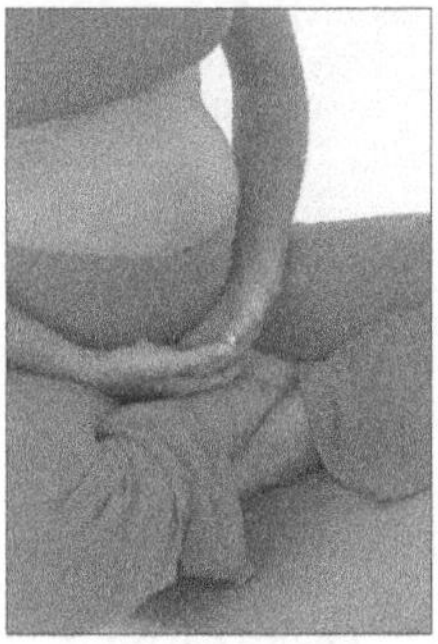

Padmasana ou **Postura de Lótus**

Postura clássica de meditação, mas também a mais difícil, porque exige grande flexibilidade das pernas. Coloque o peito dos pés sobre as coxas (deixando as plantas dos pés voltadas para o alto), cruzando as pernas. Isso trava a circulação nos membros inferiores, fazendo com que o retorno sangüíneo ocorra de forma mais intensa na parte superior do corpo. As mãos ficam sobre os joelhos em *jnana mudrá* (polegares e indicadores unidos, e os outros dedos esticados). Mantenha a coluna alinhada e os ombros abertos.

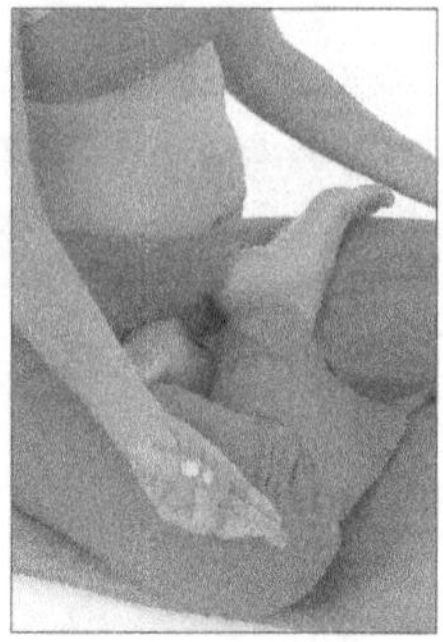

Virasana ou **Postura do Herói**

Sentada, posicione uma perna sobre a outra. As mãos ficam nos joelhos, unindo os dedos polegares e indicadores, formando um triângulo como se estivesse apontando para frente. Os pés devem apontar para os lados. Mantenha a coluna alinhada e os ombros abertos e relaxados.

BENEFÍCIOS. A meditação traz paz profunda e benefícios físicos, mentais, energéticos e espirituais. Antiestresse, revitaliza o corpo e a memória, e relaxa profundamente o cérebro.

BENEFÍCIOS PARA O BEBÊ. Mesmo no útero, o bebê vai se beneficiar de todo esse bem-estar e relaxamento — mesmo sem intelecto, ele já tem psiquismo e mente.

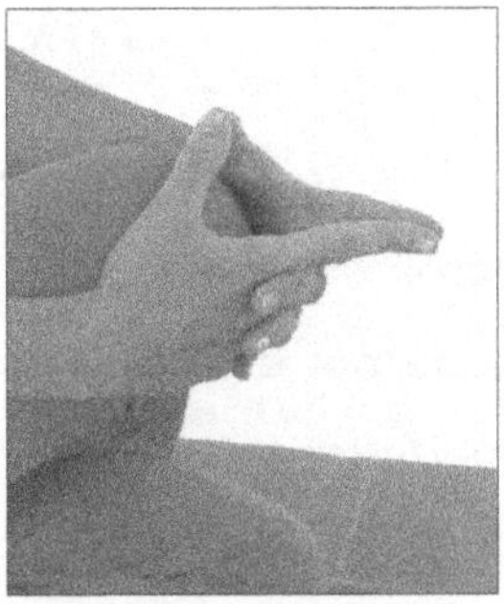

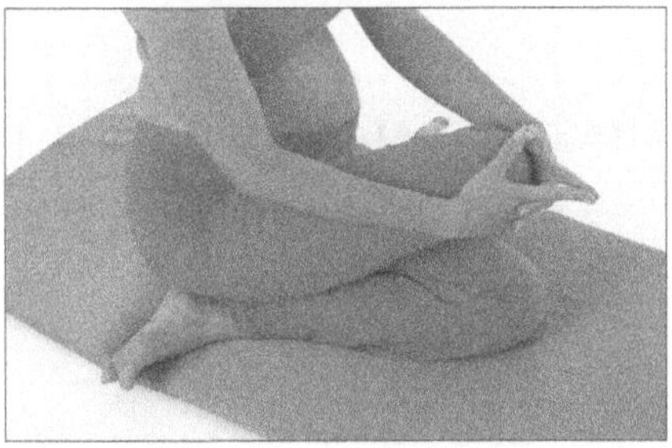

Variação: as palmas das mãos ficam posicionadas sobre as plantas dos pés.

INDICAÇÕES

Todas as grávidas.

CONTRA-INDICAÇÕES

Não há, exceto para gestantes com dificuldade de ficar sentadas nas posturas de meditação, por terem engordado muito ao longo da gravidez ou por estarem de repouso. Mas, mesmo nesses casos, elas podem meditar na cama, recostadas em almofadas (sem ficarem totalmente deitadas).

CHACRAS TRABALHADOS. Todos, principalmente o coronário.

O QUE SÃO CHACRAS?

Cada postura de yoga traz benefícios para os chacras. Mas, o que significam exatamente? A palavra "chacra" tem origem no sânscrito e significa "roda" — quanto mais rápido eles giram, mais ativos ficam. Chacras são centros de força existentes no corpo, que absorvem energia vital (prana) e a enviam para o sistema nervoso, para as glândulas endócrinas e para o sangue. Trabalhar o equilíbrio dos chacras é uma forma de garantir o bom funcionamento físico, emocional, mental e espiritual. E isto pode ocorrer através de exercícios bioenergéticos (como o yoga), visualização das cores e uso de cristais.

Existem sete chacras principais.

1º Básico (*Muladhara*). Localizado na base da coluna, está ligado aos rins e à coluna vertebral.

2º Esplênico (*Swadisthana*). Localizado à esquerda do abdômen, está ligado aos órgãos reprodutores e à criatividade.

3º Umbilical (*Manipura*). Localizado no plexo solar (boca do estômago), está ligado ao sistema digestivo.

4º Cardíaco (*Anahatha*). Localizado no coração, está ligado a este órgão e aos sentimentos.

5º Laríngeo (*Visudha*). Localizado na garganta, está ligado à boca, garganta e órgãos respiratórios, e à comunicação.

6º Frontal (*Ajna*). Localizado entre as sobrancelhas, está ligado à visão, clareza de idéias e concentração.

7º Coronário (*Sahashara*). Localizado no topo da cabeça, está ligado ao cérebro, ao desenvolvimento intelectual e à expansão da consciência.

3. As posturas do 2º trimestre

Bem-vinda à melhor fase da gravidez! Você está mais bonita, mais bem-disposta e, finalmente, livre dos enjôos! E, para completar, sua barriga agora aponta, lindamente, moldando seu novo corpo. Ninguém mais vai achar que você está gordinha: agora, todos têm certeza absoluta de que, dentro de você, está ocorrendo o milagre da vida. Da 14ª à 28ª semana, viverá grandes emoções e vai curtir a gravidez como jamais imaginou.

Além do desaparecimento, como num passe de mágica, dos enjôos — pelo menos, isso é o que acontece à maioria das mulheres —, surge uma outra novidade gratificante: aquele cansaço do 1° trimestre fica para trás! Isso se deve ao fato de o seu bebê já estar praticamente formado — e foi justamente o trabalho árduo da formação dos órgãos que fazia você se sentir tão sonolenta, tão esgotada. A partir de agora, seu filhinho só vai amadurecer e crescer. Assim como sua barriga...

Ela, por sinal, será um grande motivo de orgulho para você. Ainda mais porque seu útero não estará grande o suficiente para causar o desconforto que costuma ocorrer no 3° trimestre. E quando estiver lá pela 19ª semana, você se sentirá mais grávida do que nunca, porque começará a sentir o bebê mexendo em sua barriga. Agüenta, coração! Mas as emoções não param por aí: entre o quarto e o quinto mês de gestação, o exame de ultra-som irá lhe revelar se você espera um menininho ou uma menininha. Não é à toa que, ainda por conta dos hormônios, a montanha-russa de sentimentos continuará em cena, levando-a do choro ao riso com facilidade. Ah, mas não se assuste se da 20ª semana em diante começar a sentir contrações. Elas são supernormais e têm até nome: Braxton Hicks. Sinalizam apenas, que seu corpo está se preparando para o parto...

E quanto ao seu filhinho, como ele vai se comportar no 2° trimestre? Muito bem! Na 14ª semana, estará medindo 11 centímetros e pesando cerca de 45 gramas. E vai se mostrar tão ativo quanto você, dando mil e uma piruetas no líquido amniótico. Na 22ª semana, ele passa a medir 26 centímetros e a pesar 450 gramas. Sobrancelhas e cílios começam a crescer e o seu aparelho auditivo já capta direitinho o que acontece no mundo exterior. E entre a 24ª e a 28ª semana, seu filhinho pulará para cerca de 33 centímetros e pesará pouco mais de um quilo. Exibirá movimentos rápidos dos olhos, suas pálpebras passam a abrir e ele estará bastante ativo em seu ventre.

As maravilhas do 2° trimestre são muitas, mas algumas gestantes já começam a sentir leves desconfortos no final desse período. Com o crescimento da barriga, podem surgir dores nas costas. O volume no útero passa a pressionar a bexiga, continuando a levá-la ao banheiro com freqüência. Algumas mulheres podem ter dificuldade em segurar a urina (a tendência é piorar com o avanço da gravidez). Para prevenir tudo isso, o yoga é o melhor aliado. Além de trazer controle emocional e treinar sua respiração para o parto, esta prática trabalha bastante toda a coluna e a região do períneo, virilha e assoalho pélvico. Não é à toa que é uma das alternativas mais indicadas na gravidez.

Aproveite, então, e capriche na série que vai montar para praticar ao longo do quarto, quinto e sexto mês de gestação. Neste capítulo, encontram-se as fotos e as explicações dos exercícios que só devem ser praticados a partir do 2° trimestre. Intercalados a eles, estão as indicações das posturas aplicadas no 1° trimestre, já que algumas delas podem ser mantidas nesta fase da gravidez (elas aparecem na posição em que se encaixam melhor na seqüência). Por exemplo, Exercício Sutil, Exercícios para os Seios com Respirações, Relaxamento e Meditação devem fazer parte das séries de todos os trimestres. No entanto, o ideal é que sua série não ultrapasse 20 exercícios. ***Mais uma vez, não se esqueça:*** antes de começar a praticar, converse com o seu obstetra para que ele a libere para a prática do yoga.

SUA SÉRIE DE YOGA

A seguir, apresentamos os exercícios indicados para o 2º trimestre da gravidez, na ordem mais adequada para serem praticados. Marque no quadrado ao lado de cada um deles os 15 a 20 que escolheu para compor sua série. Destaque ou xeroque esta página para servir de guia na hora em que você for praticar yoga.

2º TRIMESTRE

- ☐ *Sukshuma Vyayana* ou Exercício Sutil (p. 129)
- ☐ *Vrikshasana* ou Postura da Árvore — Variação (p. 130)
- ☐ *Talasana* ou Postura da Palmeira (p.132)
- ☐ *Talasana* ou Postura da Palmeira — Variação (p. 132)
- ☐ *Natarajasana* ou Postura da Dança Real (p. 135)
- ☐ *Purnasana* ou Postura Completa ou Arco e Flecha (p. 137)
- ☐ *Konasana* ou Postura Lateral (p. 137)
- ☐ *Chandrasana* ou Postura da Meia-lua (p. 138)
- ☐ *Tiryaka* Tadasana ou Palmeira Envergando (p. 138)
- ☐ *Hastinasana* ou Relax Dinâmico (p. 139)
- ☐ *Duikonasa* ou Descanso da Coluna (p. 139)
- ☐ *Utkasana* ou Postura de Meia Cócoras na Ponta (p. 140)
- ☐ *Namaskar* ou Postura da Saudação (p. 140)
- ☐ *Uthanasana* ou Postura da Descida para Cócoras (p. 143)
- ☐ *Ardha-bhujangasana* ou Postura da Meia Cobra (p. 145)
- ☐ *Ardha-matsiendrasana* (p. 147)
- ☐ *Janurasana* ou Postura dos Joelhos (p. 149)
- ☐ Folha Dobrada (p. 151)
- ☐ *Vajrasana* com Respirações (p. 151)
- ☐ *Vajrasana* com Exercícios para os Seios (p. 152)

- ☐ *Mayariasana* ou Gatinho (p. 153)
- ☐ *Mayariasana* ou Gatinho — Variação 1 (p. 155)
- ☐ *Mayariasana* ou Gatinho — Variação 2 (p. 156)
- ☐ *Gomukhâsana* (p. 157)
- ☐ *Bhadrasana* ou Borboleta (p. 158)
- ☐ Embalando o Bebê (p. 160)
- ☐ Pré-parto I (p. 162)
- ☐ *Khandarana* ou Ponte (p. 164)
- ☐ Torção com os Joelhos (p. 164)
- ☐ Vaso Capilar ou Baratinha (p. 165)
- ☐ Bicicleta Rotativa (p. 165)
- ☐ Meditação e Relaxamento (p. 167)

POSTURAS INDICADAS PARA O 2º TRIMESTRE

Sukshuma Vyayana ou Exercício Sutil

(Veja a descrição deste exercício nas páginas 37 a 41.)

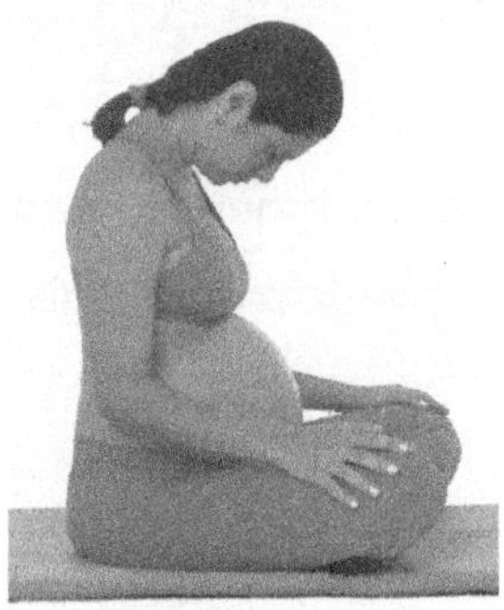

Vrikshasana ou **Postura da Árvore – Variação**

Acompanhe a descrição deste exercício na página 42. A variação proposta para este trimestre verifica-se na posição de apoio do pé, da perna que se eleva, sobre a coxa, e no momento em que você une as palmas das mãos na frente do peito em forma de prece (*pronam mudrá*). Nesta segunda fase da gestação, deve inspirar elevando os braços (mantendo as mãos unidas) até o alto da cabeça.

Dica: as grávidas com dificuldade para fazer esta postura não devem desistir. A tentativa, sem forçar, já vai trazer benefícios. Se não conseguir posicionar o peito do pé sobre a coxa ou mesmo o joelho, faça como a primeira versão da Postura da Árvore (p. 42), apoiando a planta do pé na altura da virilha (ou na altura que conseguir) e, em seguida, eleve as mãos como neste exercício.

BENEFÍCIOS. Produz equilíbrio físico, energético, mental e emocional. Enquanto a gestante permanece nesta posição, equilibrada, se desliga de tudo e exercita a concentração. Trabalha as articulações das pernas e tornozelos, a elasticidade e o fortalecimento da musculatura, além de atuar sobre o assoalho pélvico e os quadris, preparando-os para o parto. Nesta variação, ao se travar as pernas na coxa e elevar os braços, ocorre um grande alongamento da coluna, na altura da região lombar, prevenindo e aliviando dores lombares. Esta postura é muito necessária nesta fase da gestação, porque melhora os desconfortos respiratórios e digestivos causados pela barriga, que começa a crescer e a ficar mais alta.

BENEFÍCIOS PARA O BEBÊ. Devido à concentração e quietude da mãe, o bebê relaxa e se sente em paz. O alongamento do exercício abre mais espaços internos para ele, facilitando a sua acomodação na barriga.

INDICAÇÕES

Grávidas a partir do 2º trimestre e aquelas que já estiverem sentindo desconforto na coluna.

CONTRA-INDICAÇÕES

Gestantes com problemas sérios nos joelhos e com labirintite.

CHACRAS TRABALHADOS. Básico, cardíaco e frontal.

Talasana ou **Postura da Palmeira**

(Veja a descrição deste exercício nas páginas 44 e 45.)

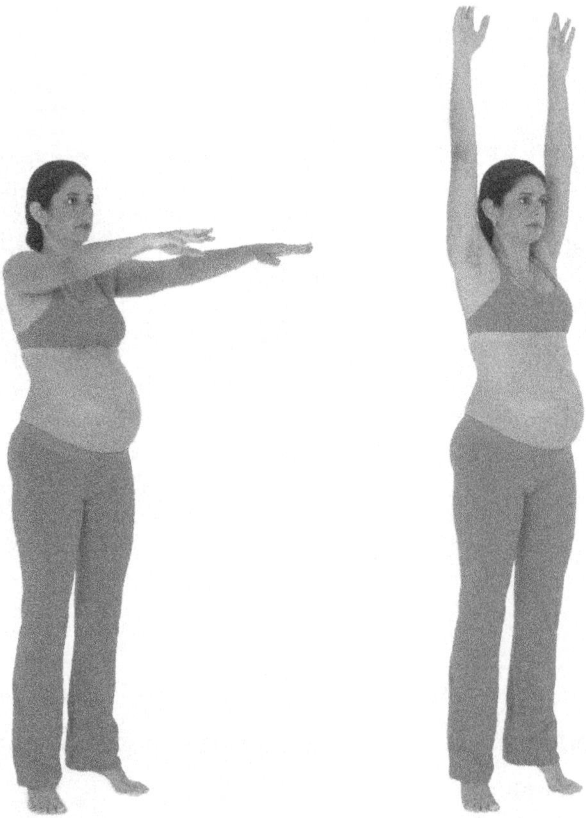

Variação

Em pé, com os pés ligeiramente separados, fixe um ponto à frente na altura dos olhos. Sincronize os movimentos dos pés e mãos: inspire e vá, lentamente, elevando os braços esticados (com as palmas das mãos abertas) e a perna esquerda para trás, com o joelho esticado, procurando manter o pé direito totalmente apoiado no chão. Permaneça na postura com a respiração livre o tempo que conseguir. Expirando, desça os braços e volte a perna esquerda para o ponto inicial, de maneira lenta e sincronizada. Repita com a outra perna.

BENEFÍCIOS. Aumenta a concentração e o equilíbrio, ajuda na coordenação motora e alonga a coluna e todo o corpo (especialmente a musculatura peitoral, os braços e as pernas). Trabalha os músculos retais — beneficiando os intestinos e descongestionando a inervação da coluna vertebral —, o assoalho pélvico, a virilha, a articulação coxo-femural e o períneo, preparando para o parto. Quando se eleva a perna para trás, os glúteos também são exercitados, prevenindo e aliviando dores causadas pelo pinçamento do nervo ciático.

BENEFÍCIOS PARA O BEBÊ. Esta postura alonga a parede abdominal, gerando mais espaço para o bebê se acomodar no útero.

INDICAÇÕES

Todas as grávidas a partir do 2° trimestre e para aquelas que apresentarem dores na coluna.

CONTRA-INDICAÇÕES

Gestantes com problemas nas articulações das pernas ou dos pés, com alguma lesão nos pés ou labirintite.

CHACRAS TRABALHADOS. Básico e frontal.

Natarajasana ou **Postura da Dança Real**

Comece em pé, com os pés juntos e braços estendidos ao lado do corpo, com as palmas das mãos sobre a lateral das coxas. Fixe um ponto à frente para manter o equilíbrio. Flexione o joelho esquerdo, levando o pé esquerdo até sua mão esquerda, que vai segurar o peito do pé.

Ainda com a mão segurando o pé, inspire e empurre a perna para trás elevando-a, alongando o máximo possível. Simultaneamente, estique o braço direito à frente, como se estivesse apontando. Faça o *jnana mudrá* com a mão: una o polegar e o indicador, deixando os outros dedos esticados.

A perna direita permanece reta, com o pé totalmente apoiado no chão. Fique na postura o tempo que quiser, com a respiração livre. Para desfazer, expire e volte a perna e o braço à posição inicial. Repita com a outra perna.

Dica: É importante alongar até o seu limite, sem forçar e sem tombar o corpo para a frente. Procure seu eixo.

BENEFÍCIOS. Assim como toda postura de equilíbrio, trabalha a concentração. Alonga bastante a coluna, as pernas e os braços. Previne e melhora problemas no nervo ciático. Traz benefícios nos níveis emocional e energético: o alongamento apontando para a frente simboliza a abertura de novos horizontes (como é a chegada de um filho) e a realização do *mudrá* com a mão oposta à que segura o pé fecha o campo áurico da gestante e mantém a energia mais centrada.

BENEFÍCIOS PARA O BEBÊ. A postura alonga toda a parede abdominal, abrindo mais espaço para ele na barriga, e traz quietude, acalmando-o.

INDICAÇÕES

Todas as grávidas a partir do 2° trimestre com boa saúde. E para aquelas que precisem melhorar problemas no nervo ciático.

CONTRA-INDICAÇÕES

Gestantes com problemas sérios nos joelhos ou pernas e com labirintite.

CHACRAS TRABALHADOS. Umbilical e frontal.

Purnasana ou Postura Completa ou Arco e Flecha

(Veja descrição nas páginas 46 e 47.)

Konasana ou Postura Lateral

(Veja descrição nas páginas 61 e 62.)

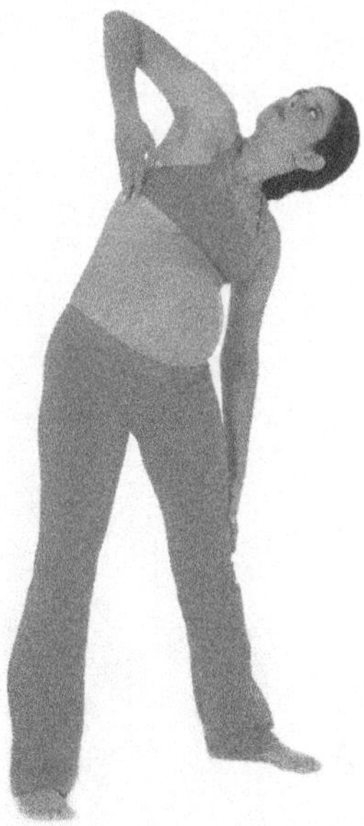

***Chandrasana* ou Postura da Meia-lua** (Veja descrição nas páginas 63 a 65.)

***Tiryaka Tadasana* ou Palmeira Envergando** Veja descrição nas páginas 50 e 51.)

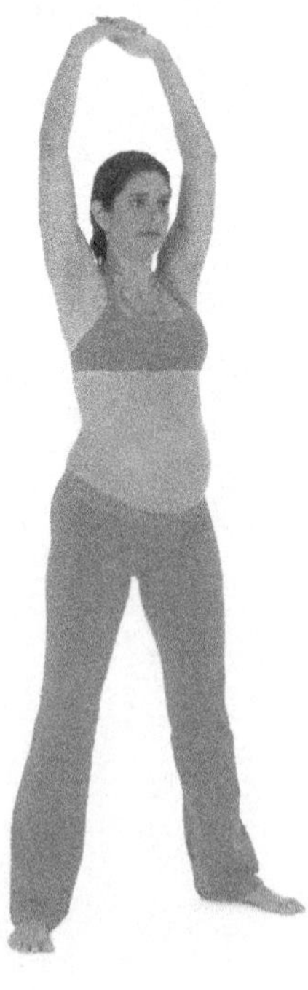

Hastinasana ou Relax Dinâmico

(Veja descrição nas páginas 54 a 56.)

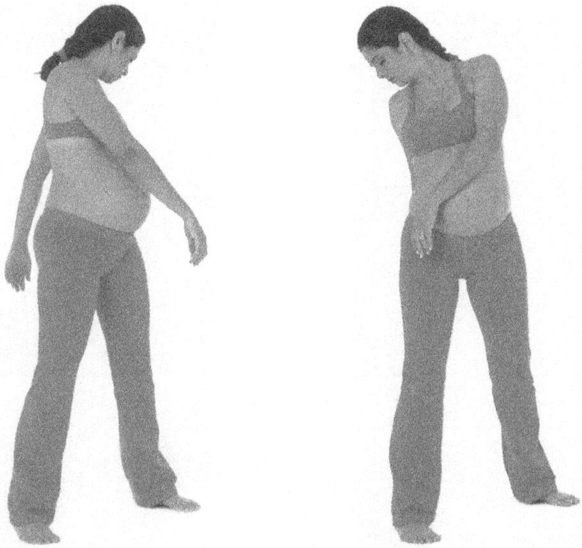

Duikonasa ou Descanso da Coluna

(Veja descrição nas páginas 52 e 53.)

Utkasana ou Postura de Meia Cócoras na Ponta (Veja descrição nas páginas 48 e 49.)

Namaskar ou Postura da Saudação

Inicie de cócoras, com a respiração livre, mantendo os joelhos bem separados e as plantas dos pés totalmente apoiadas no chão. Una as palmas das mãos em posição de prece (*pronam mudrá*) e posicione os cotovelos nos joelhos, forçando-os para fora.

Agora faça um jogo de força: expirando, os cotovelos vão fazer força para os joelhos abrirem e, simultaneamente, os joelhos empurrarão os cotovelos, como se quisessem fechá-los. Mantenha este jogo de força enquanto se sentir confortável e, aos poucos, vá relaxando os braços.

Estique os braços à frente, mantendo as palmas das mãos unidas, enquanto vai fechando um pouco os joelhos (tomando cuidado para não pressionar a barriga) e abaixando a cabeça, alongando a coluna. Permaneça um pouco na postura, com a respiração livre.

Inspirando, volte a cabeça para o lugar e traga os cotovelos para o encontro dos joelhos (forçando-os novamente para fora), posicionando as mãos em *pronam mudrá*.

Repita no máximo duas vezes. Esta postura deve ser feita muito lentamente.

Dica 1: Este exercício exige muito da gestante. Por isso, deixe para incorporá-lo à sua série somente depois que dominar todas as posturas que escolher praticar no 2º trimestre.

Dica 2: Na posição de cócoras, algumas pessoas não conseguem ficar com os pés totalmente apoiados no chão. Se este for o seu caso, pode, no início, colocar um travesseiro fino embaixo dos calcanhares, como se fosse um saltinho. Aos poucos, procure eliminar este suporte.

BENEFÍCIOS. Alonga bem a coluna inteira, aliviando dores nesta região. Fortalece a musculatura e as articulações das pernas e do assoalho pélvico. Trabalha muito a abertura da bacia, antevendo o parto. No 3º trimestre, facilita a descida e o encaixe do bebê e, ao relaxar a musculatura pélvica, abre muito a bacia. Esta postura favorece quem deseja ter o parto de cócoras.

BENEFÍCIOS PARA O BEBÊ. Além de conferir tranqüilidade, faz uma leve massagem no bebê quando os joelhos se aproximam da barriga.

INDICAÇÕES

Grávidas a partir do 2° trimestre com a gestação decorrendo normalmente, e para aquelas com desconfortos na coluna.

CONTRA-INDICAÇÕES

Grávidas com ameaça de prematuridade. Também não é indicado para aquelas que têm problemas nas pernas ou nos joelhos, ou problemas sérios de coluna.

CHACRAS TRABALHADOS. Básico, umbilical, cardíaco e coronário.

Uthanasana ou **Postura da Descida para Cócoras**

Comece em pé, com os pés bem separados, e entrelace as mãos na frente da barriga, com as palmas viradas para cima.

Expire e vá descendo o quadril, como se estivesse querendo sentar. Os joelhos são flexionados levemente, os pés ficam totalmente apoiados no chão e as mãos se mantêm na altura da virilha. Fique um pouco nesta posição com a respiração livre, enquanto se sentir confortável. Suba inspirando.

Faça a mesma coisa novamente, só que agora você vai descer um pouco mais (expirando), como se estivesse sentada num banquinho. Desça até onde conseguir. Permaneça o tempo que quiser nesta posição e suba inspirando.

BENEFÍCIOS. Trabalha a coluna (sobretudo a região lombar), a concentração e a abertura de pernas e, principalmente, a flexibilidade do assoalho pélvico. Facilita a descida do bebê (mas não há problema algum em praticar esta postura a partir do 2° trimestre, porque ela não oferece riscos de antecipar a descida do bebê antes do tempo certo).

BENEFÍCIOS PARA O BEBÊ. Promove um balancinho que é agradável para o bebê. Quando a gestante realiza esses movimentos, ela pode pensar no parto e criar imagens positivas do bebê. Essa projeção mental faz com que o bebê fique bem condicionado para a hora do parto.

INDICAÇÕES

Toda a grávida a partir do 2° trimestre com a gestação decorrendo normalmente.

CONTRA-INDICAÇÕES

Grávidas com ameaça de prematuridade, problemas nas pernas, nos joelhos e na coluna.

CHACRA TRABALHADO. Básico.

Ardha-bhujangasana ou **Postura da Meia Cobra**

Fique de joelhos (se quiser, pode colocar uma almofada debaixo do joelho direito, sobre o colchonete) e flexione a perna esquerda à frente. Mantenha o pé alinhado com o joelho (isso varia em relação ao tamanho da perna: para algumas pessoas, o pé fica mais para a frente do joelho; para outras, mais para trás).

Deixe os braços ao longo do corpo e faça um pequeno teste com o corpo, dobrando a perna que está à frente, elevando o calcanhar e tentando descer o corpo. Se sentir dificuldade, corrija a posição do pé mais para a frente ou mais para trás, até conseguir descer e se apoiar no calcanhar sem desconforto. (Se não fizer isso, vai forçar muito a virilha.)

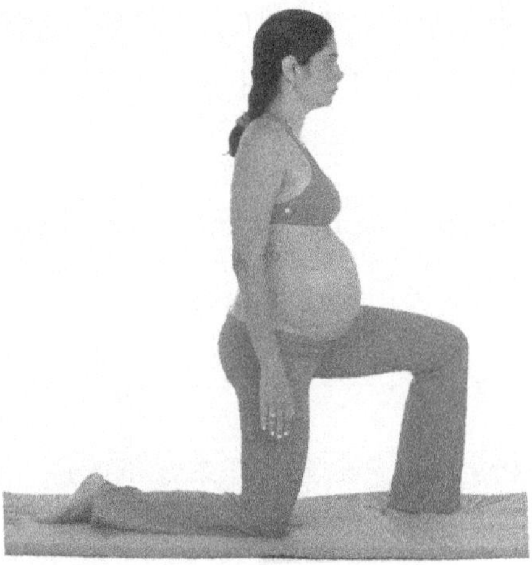

Coloque a mão esquerda sobre o joelho e, expirando, flexione o joelho procurando sentar-se sobre o calcanhar. Em seguida, leve a mão direita até a batata da perna direita (ou até onde alcançar), provocando uma torção no tronco. Fique olhando na direção da mão que está atrás. Permaneça nessa postura o tempo que for confortável, mantendo a respiração livre.

Para voltar, primeiro desfaça a torção do tronco e, inspirando, traga o joelho da frente para o lugar, deixando que o pé agora fique totalmente apoiado no chão. Torne a se ajoelhar com os dois joelhos e repita o exercício com a perna direita.

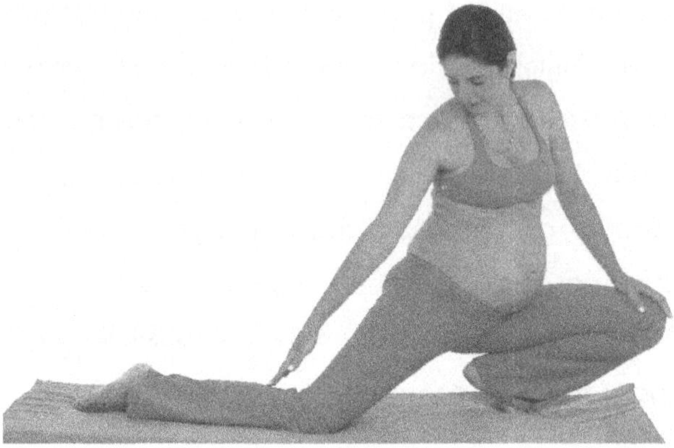

BENEFÍCIOS. Trabalha a abertura da virilha e de todo o assoalho pélvico. Fortalece a musculatura e as articulações dos joelhos e pernas. A torção na coluna favorece a correção postural. O exercício promove a concentração e a introspecção.

BENEFÍCIOS PARA O BEBÊ. Favorece a irrigação e a oxigenação do bebê evitando problemas de má circulação da mãe para o filho.

INDICAÇÕES

Todas as grávidas a partir do 2° trimestre em boas condições físicas, para aquelas que precisam ativar a circulação pélvica e para todas as que quiserem trabalhar mais intensamente a coluna lombar.

CONTRA-INDICAÇÕES

Grávidas com problemas nos joelhos.

CHACRAS TRABALHADOS. Básico e laríngeo.

Ardha-matsiendrasana

Sentada com os joelhos flexionados, cruze a perna esquerda sobre a direita. Segure o joelho esquerdo com a mão direita, puxando-o, e, expirando, torça o tronco para o lado esquerdo, colocando a mão esquerda sobre o chão, atrás de seu corpo. Fique olhando em direção à mão que está no chão, mantendo a respiração livre.

Desfaça a postura lentamente, inspirando. Faça o mesmo com a perna direita sobre a esquerda, sendo que agora é a mão esquerda que segura o joelho e a torção é feita para o lado direito, com a mão direita apoiada no chão. Procure ficar na postura o mesmo tempo que permaneceu com a outra perna.

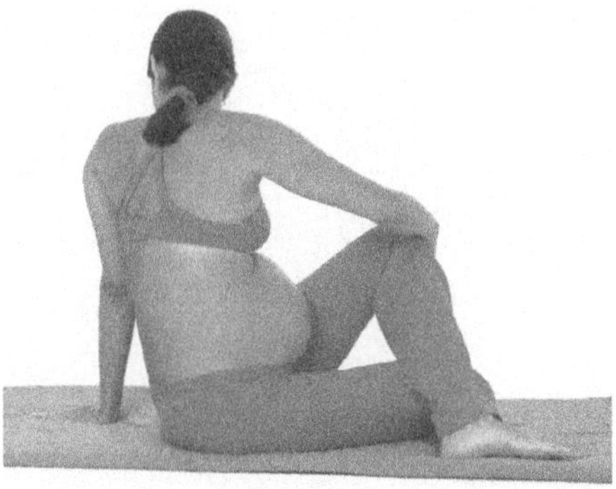

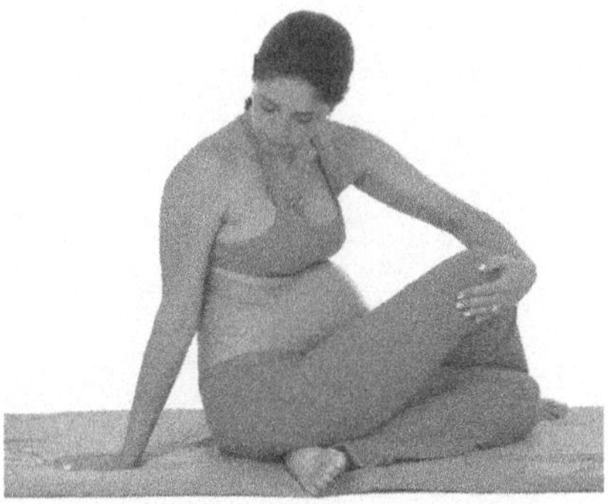

BENEFÍCIOS. Provoca uma ótima torção do corpo, beneficiando totalmente a coluna, abrindo os ombros e a caixa torácica, e trabalhando a musculatura da cintura e do abdômen.

BENEFÍCIOS PARA O BEBÊ. Quando a gestante volta para a postura inicial, ocorre um maior afluxo de sangue para o bebê. A postura realiza uma leve massagem nele e, principalmente, lhe traz quietude.

INDICAÇÕES

Todas as grávidas a partir do 2° trimestre, sobretudo as que estejam precisando realizar uma torção nas regiões dorsal e cervical.

CONTRA-INDICAÇÕES

Não há.

CHACRAS TRABALHADOS. Cardíaco, laríngeo e frontal.

Janurasana ou **Postura dos Joelhos**

Comece de joelhos e posicione uma perna flexionada para a frente. Inspirando, eleve os braços acima da cabeça, com as palmas das mãos unidas. Expirando, desça o corpo todo para frente.

Fique na postura o tempo que for confortável, com a respiração livre. Para finalizar, volte primeiro a perna, inspirando, alinhe o corpo e desça os braços, expirando, e separe as mãos. Repita o exercício com a outra perna.

BENEFÍCIOS. Trabalha a virilha e articulações, e a musculatura das pernas. Alonga bastante a coluna, os braços e a musculatura abdominal.

BENEFÍCIOS PARA O BEBÊ. Este alongamento abre mais espaço na barriga para ele e o movimento do exercício o ajuda a relaxar. Esta postura aumenta a oxigenação evitando que problemas de má circulação da mãe passem para o bebê.

INDICAÇÕES

Gestantes a partir do 2° trimestre em boas condições físicas. Mães com problemas de circulação útero-bebê e para aquelas com descon-fortos na coluna, principalmente nas regiões dorsal e cervical.

CONTRA-INDICAÇÕES

Gestantes com ameaça de prematuridade e com problemas nos joelhos.

CHACRAS TRABALHADOS. Cardíaco, laríngeo e frontal.

Folha Dobrada

(Veja descrição nas páginas 66 a 68.)

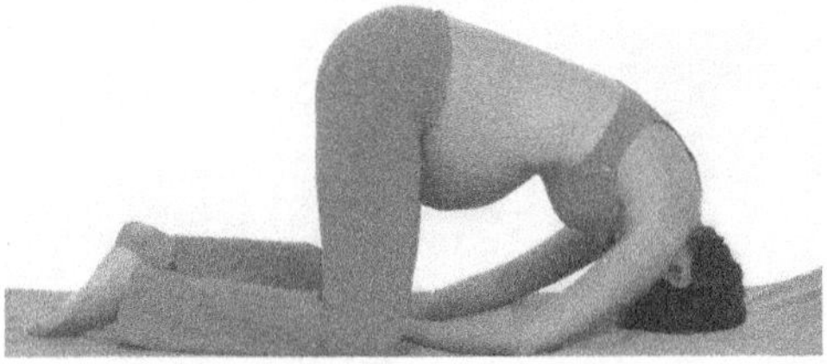

Vajrasana com Respirações

(Veja descrição nas páginas 73 a 80.)

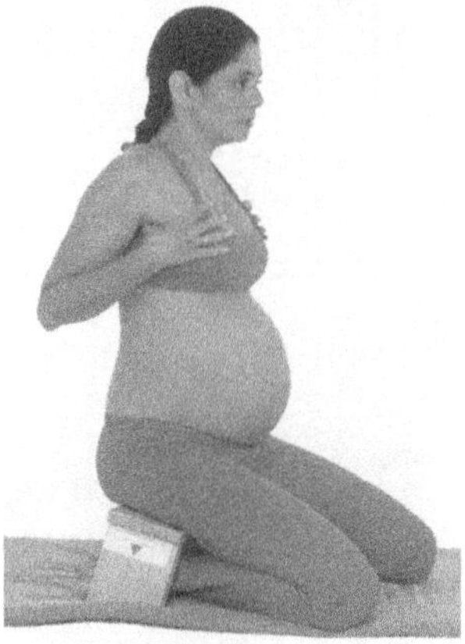

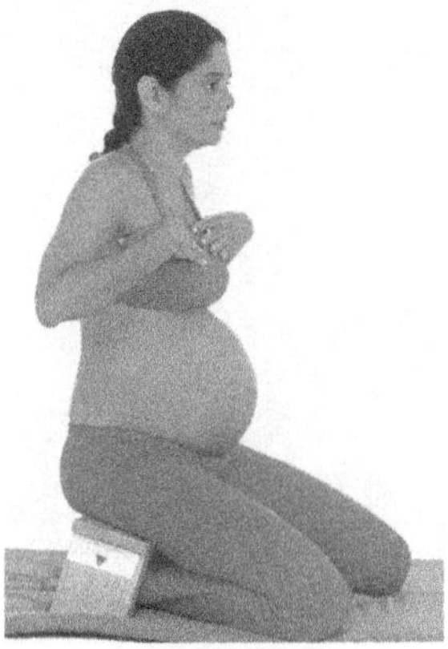

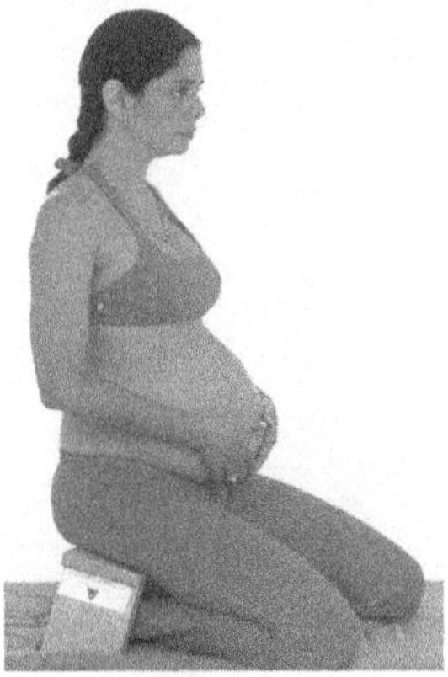

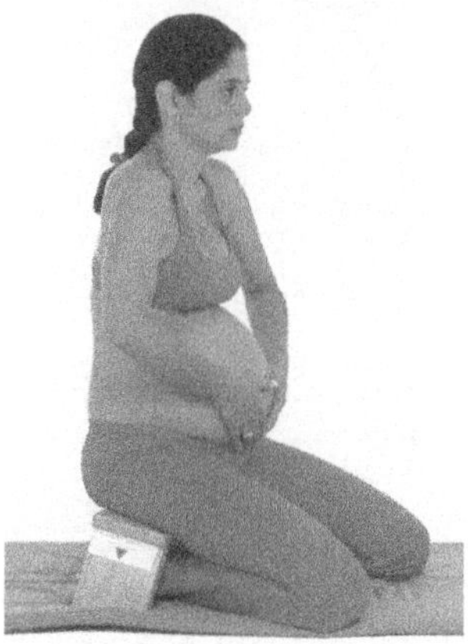

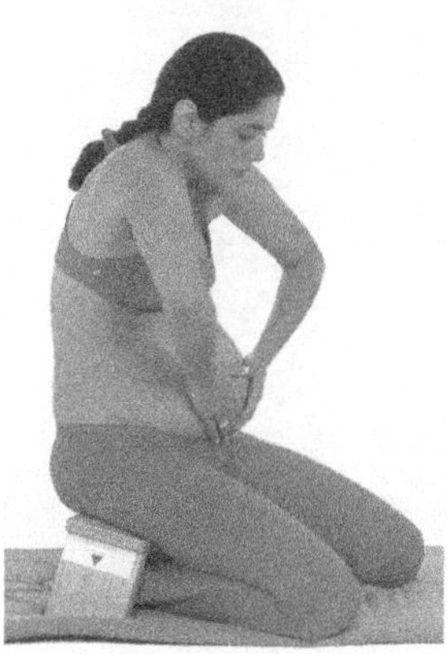

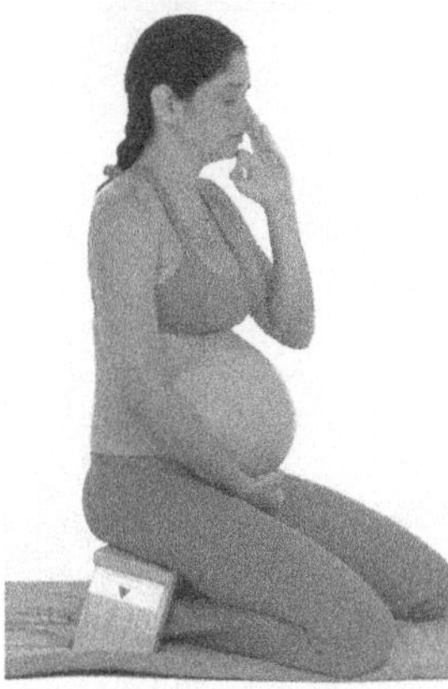

Vajrasana com Exercícios para os Seios

(Veja descrição nas páginas 81 a 92.)

Mayariasana ou **Gatinho**

Inicie em quatro apoios, com os joelhos bem separados e as mãos espalmadas no chão. Inspire e arqueie a coluna para cima, abaixando a cabeça e as nádegas. Na seqüência, expire e arqueie a coluna para baixo, elevando a cabeça e as nádegas.

Vá fazendo esse movimento continuamente, como se fosse uma ondulação em sua coluna. Repita quantas vezes quiser (no máximo, 15 movimentos completos).

Termine em *yoga mudrá*: sente sobre os calcanhares, coloque a testa no chão, mantendo os braços totalmente esticados à frente (ou, se preferir, faça o *trimurti mudrá* — as mãos se unem formando um triângulo e a testa fica posicionada dentro deste triângulo). Relaxe nesta posição.

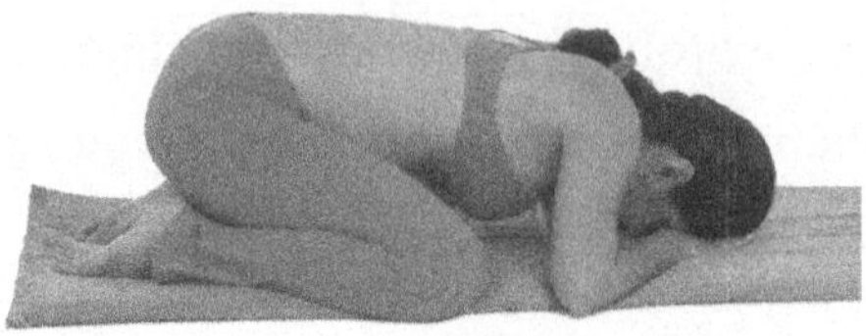

Quando levantar a cabeça e as nádegas, faça-o bem devagar, até se sentir confortável para sentar.

BENEFÍCIOS. Este é um dos exercícios mais relaxantes para as grávidas, porque alonga suavemente e relaxa a coluna vertebral. Também alonga a musculatura abdominal trazendo conforto às grávidas com a barriga muito alta. Trabalha a respiração.

BENEFÍCIOS PARA O BEBÊ. O movimento do exercício (que lembra um balanço) é gostoso para o bebê. Além disso, a postura abre mais espaço para ele na barriga e o oxigena bastante.

INDICAÇÕES

Todas as gestantes a partir do 2° trimestre.

CONTRA-INDICAÇÕES

Grávidas com problemas nos joelhos.

CHACRAS TRABALHADOS. Todos.

Variação 1

Inicie em quatro apoios. Inspirando, eleve a cabeça e, simultaneamente, a perna esquerda bem para cima, esticando-a completamente.

Num movimento contínuo, expire e vá trazendo os joelhos e a cabeça de volta à posição normal. Repita dez vezes, alterne as pernas e faça mais dez vezes. Termine em *yoga mudrá*.

BENEFÍCIOS. Os mesmos do exercício original. Alonga a parte posterior da perna, trabalhando o nervo ciático, previnindo o pinçamento deste nervo e aliviando as dores quando o pinçamento já ocorreu.

BENEFÍCIOS PARA O BEBÊ. Ativa a circulação.

INDICAÇÕES

Todas as grávidas a partir do 2º trimestre e para aquelas com problemas circulatórios, dores lombares e dores no nervo ciático.

CONTRA-INDICAÇÕES

Gestantes com problemas sérios de coluna e nos joelhos.

CHACRAS TRABALHADOS. Todos.

Variação 2

Inicie na posição de quatro apoios. Concentre-se num ponto à frente e no chão, para manter o equilíbrio. Deixe a mão esquerda no chão e, inspirando, eleve a perna esquerda, segurando o pé esquerdo com a mão direita. Alongue o mais alto que puder.
Observação: a foto que apresentamos mostra este exercício com a mão direita no chão.

Permaneça na postura o tempo que achar confortável, com a respiração livre. Ao desfazê-la, expire. Repita com a outra perna. Pode fazer três a quatro vezes com cada perna. Termine relaxando em *yoga mudrá*.

BENEFÍCIOS. Trabalha a coordenação motora, o equilíbrio, a concentração e a polaridade dos hemisférios cerebrais. Alonga bastante e faz uma leve torção nas pernas, nos braços e na coluna lombar e cervical.

BENEFÍCIOS PARA O BEBÊ. Alonga, abrindo mais espaço para ele na barriga, melhorando sua acomodação. O balanço do movimento o embala e favorece a oxigenação.

INDICAÇÕES

Todas as gestantes a partir do 2º trimestre.

CONTRA-INDICAÇÕES

Gestantes com problemas sérios de coluna e nos joelhos.

CHACRAS TRABALHADOS. Todos.

Gomukhâsana

(Veja descrição nas páginas 93 e 94.)

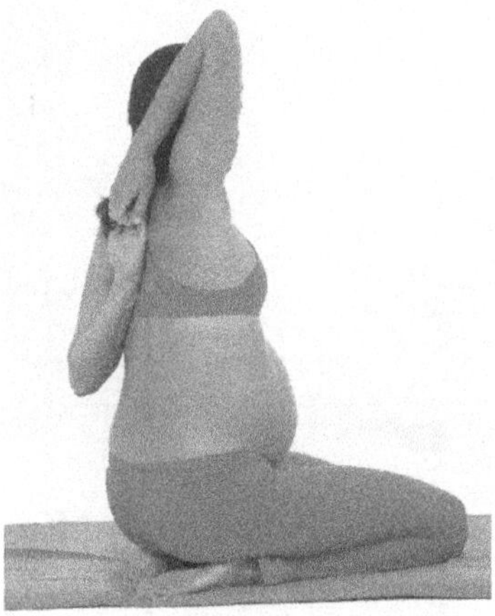

Bhadrasana ou Borboleta

Sentada, flexione as pernas e una as plantas dos pés à frente, próximo à virilha, mantendo os joelhos bem abertos. As mãos podem ficar segurando os pés, cruzadas (mão esquerda segura o pé direito e mão direita, o pé esquerdo).

Faça movimentos de abrir e fechar com os joelhos, como se fossem as asas de uma borboleta. Repita de 15 a 20 vezes. Durante este movimento, você deve realizar a respiração *bhastrika* ou rápida. Na verdade, trata-se de uma variação da respiração *bhastrika* do yoga tradicional, que é rápida e profunda, semelhante a um fole. Ela força muito o abdômen, não sendo indicada para grávidas. Aqui ela deve ser rápida, mas superficial (apenas para você sentir a saída e a entrada do ar nas narinas).

Após 15 a 20 repetições, dê uma pausa e coloque as mãos sobre os joelhos. Faça (quantas vezes quiser) um movimento de balanço, para um lado e para o outro, com a respiração livre.

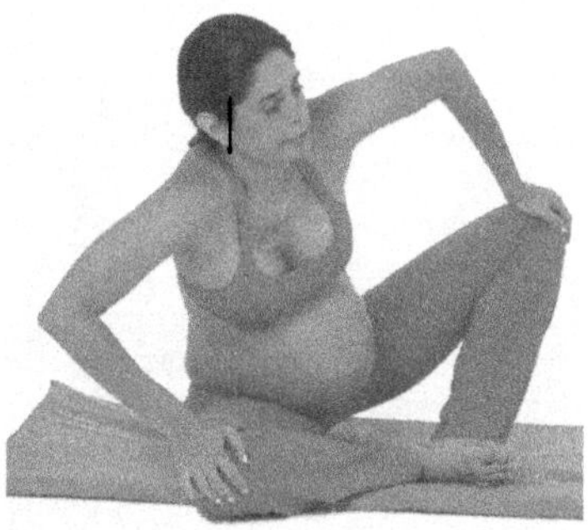

Quando terminar, repita a borboleta (mais 15 a 20 vezes) com a variação da respiração *bhastrika*. Por fim, estique as pernas à frente e balance os pés, como se estivesse dando "tchau", mantendo a respiração livre.

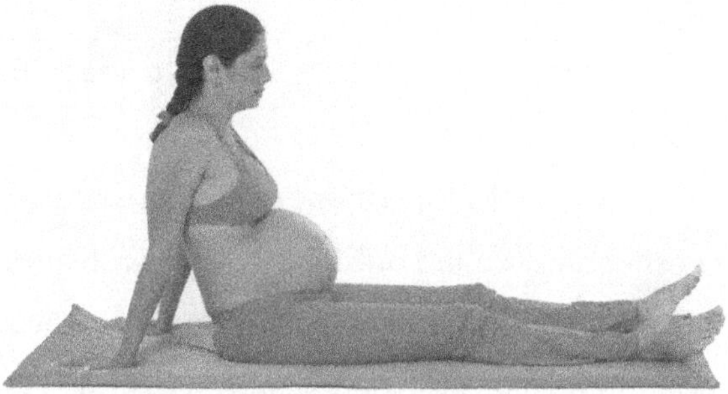

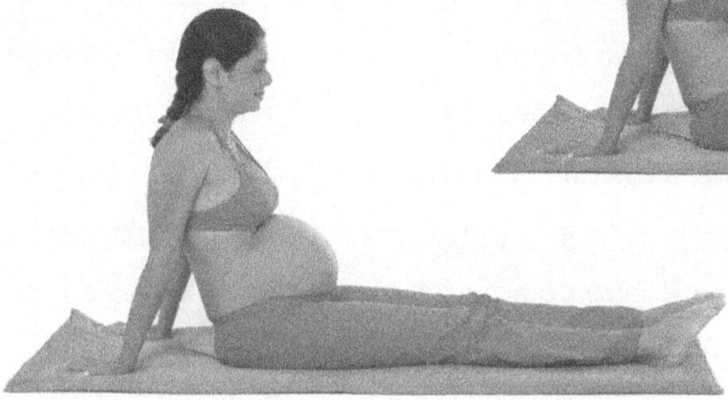

BENEFÍCIOS. Trabalha a abertura pélvica, a virilha, o períneo, as pernas e a articulação coxo-femural, além de massagear a região sacrococcígea. A respiração potencializa os efeitos do exercício.

BENEFÍCIOS PARA O BEBÊ. Oxigena bastante o bebê e o movimento de balanço o embala.

INDICAÇÕES

Todas as grávidas a partir do 2º trimestre com a gravidez decorrendo normalmente. Este exercício pode ser feito no trabalho de parto, durante as contrações, para aliviar a dor.

CONTRA-INDICAÇÕES

Gestantes com risco de prematuridade.

CHACRAS TRABALHADOS. Básico e laríngeo.

Embalando o Bebê

Inicie sentada, com as pernas cruzadas. Segure a perna esquerda, como se estivesse com um bebê no colo, envolvendo o joelho esquerdo com o braço esquerdo e segurando o calcanhar e o tornozelo com a mão direita, elevando o pé até a altura do peito (ou o mais alto que conseguir).

Mantenha o eixo da coluna e leve a perna para trás e para a frente, fazendo um balanço e uma leve torção com o corpo. Repita dez vezes e faça o mesmo com a outra perna. A respiração é livre durante todo o exercício.
Dica: Durante o balanço é importante ficar olhando para o joelho como se fosse um bebê, imaginando seu bebê no colo.

BENEFÍCIOS. Trabalha a articulação das pernas e a coxo-femural e, ao realizar uma leve torção no corpo, mexe com toda a musculatura da coluna, principalmente das regiões dorsal e lombar. Como exercita a manutenção do eixo, melhora a postura da gestante. A mentalização do bebê faz com que a gestante crie imagens positivas do carinho e aconchego da maternidade.

BENEFÍCIOS PARA O BEBÊ. O movimento embala o bebê na barriga, sendo gratificante para ele.

INDICAÇÕES

Todas as gestantes a partir do 2° trimestre e mais especificamente para aquelas com desconfortos nas articulações das pernas.

CONTRA-INDICAÇÕES

Grávidas com dores na virilha.

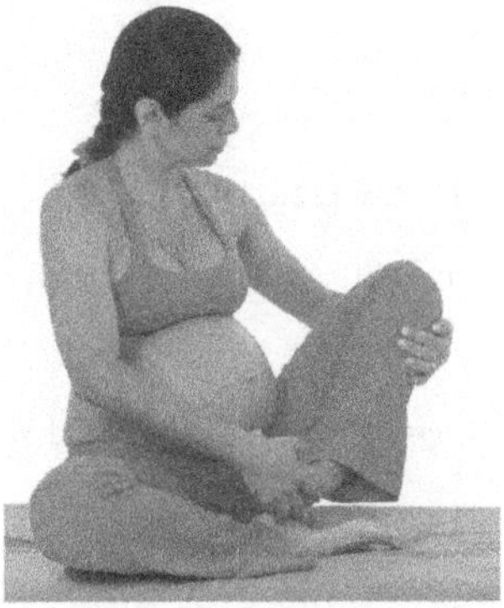 

CHACRAS TRABALHADOS. Umbilical e básico.

Pré-parto 1

Sentada, flexione as pernas trazendo os pés bem próximo da virilha, mantendo as plantas das mãos no chão o mais perto que conseguir chegar das nádegas.

Inspire e dê um impulso, erguendo as nádegas e sentando sobre os calcanhares (ou o mais próximo deles que puder). Deixe os joelhos bem abertos. Os pés podem ficar juntos ou ligeiramente afastados. A cabeça não deve tombar para trás (mantenha-se olhando para a frente). Sinta-se confortável nesta postura e fique o tempo que quiser, com a respiração livre.

Expirando, traga as nádegas para trás, como se fosse sentar e desmanchar a postura, mas não toque no chão. Permaneça apoiando-se apenas sobre os braços (não dá para ficar muito tempo nesta posição) e, então, volte inspirando para sobre os calcanhares. Faça duas vezes este movimento e, na terceira vez, sente-se no colchonete, expirando.

Dica: Na realização deste exercício, mãos e pés devem ficar fixos no chão.

BENEFÍCIOS. Trabalha a virilha, o assoalho pélvico e a postura de preparação para o parto, gerando mais abertura pélvica. Fortalece os músculos dos braços e das pernas.

BENEFÍCIOS PARA O BEBÊ. O movimento do exercício o embala.

INDICAÇÕES

Grávidas a partir do 2° trimestre em bom estado de saúde e para aquelas que queiram ter parto normal ou de cócoras.

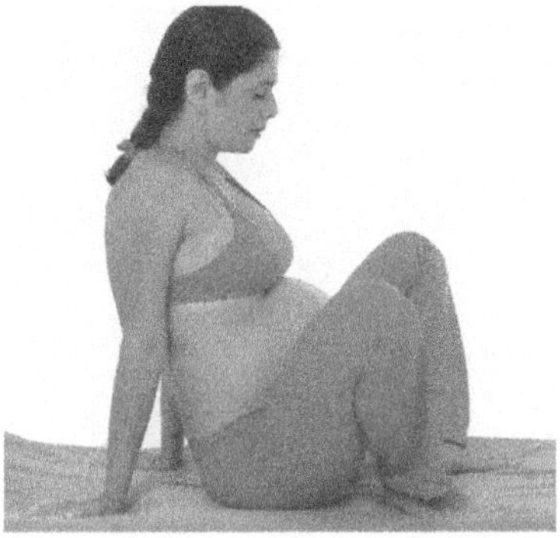

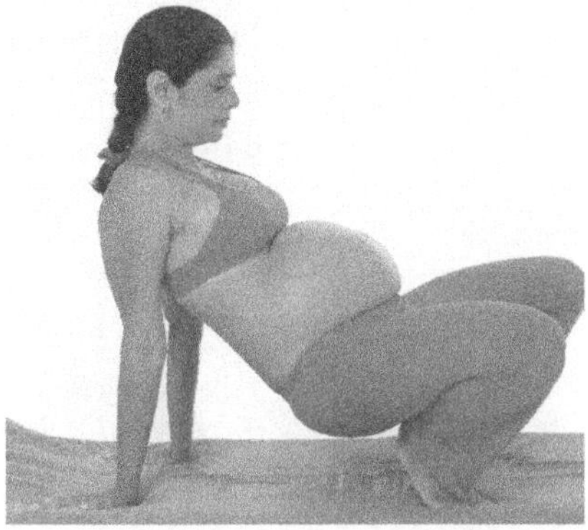

CONTRA-INDICAÇÕES

Gestantes com risco de prematuridade e com problemas nas articulações dos pulsos e braços.

CHACRA TRABALHADO. Básico.

Khandarana ou Ponte

(Veja descrição nas páginas 95 e 96.)

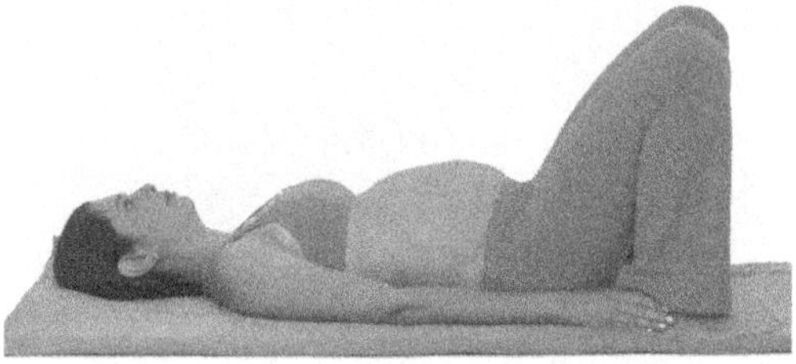

Torção com os Joelhos

(Veja descrição nas páginas 97 e 98.)

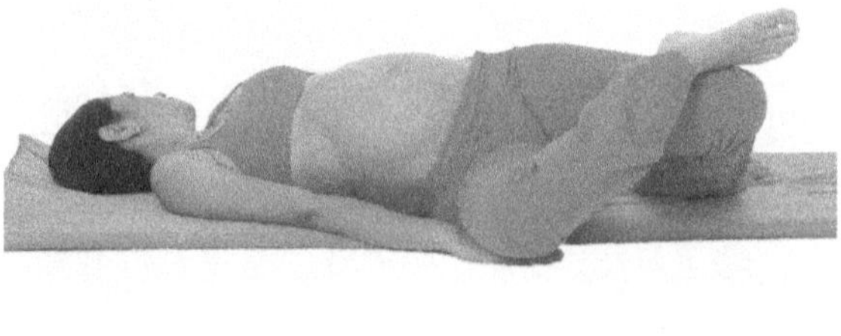

Vaso Capilar ou Baratinha

(Veja descrição nas páginas 99 e 100.)

Bicicleta Rotativa

Deitada, flexione a perna esquerda lateralmente. Imagine que tem um lápis no pé e desenhe um círculo imaginário no chão: três vezes para uma direção, três vezes para outra. Faça o mesmo com a outra perna.

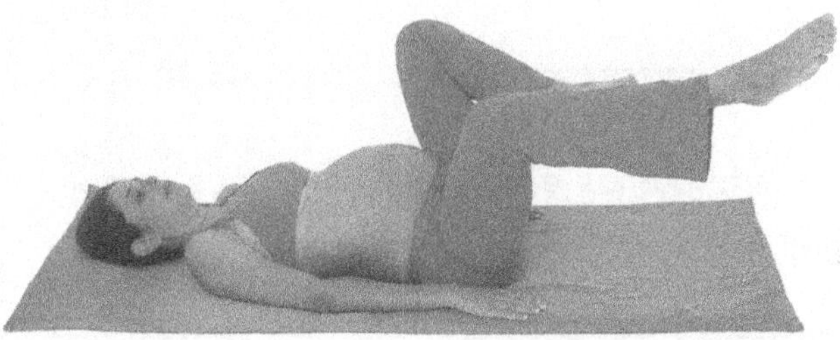

Agora, trabalhe as duas pernas ao mesmo tempo. Comece com as duas pernas flexionadas lateralmente. Em seguida, mantenha um pé próximo da virilha e estique na diagonal a outra perna (neste movimento, é como se o pé da perna que está sendo esticada desenhasse um círculo imaginário na diagonal). Recolha a perna para perto da virilha e estique a outra, realizando o mesmo movimento. É como se estivesse fazendo o exercício de bicicleta, só que na diagonal. Repita três vezes com cada perna, alternadamente. Durante todo o exercício, a respiração é livre.

BENEFÍCIOS. Trabalha as pernas, a abertura, o assoalho pélvico, a articulação coxo-femural e a musculatura abdominal. É bom para evitar e combater a celulite.

BENEFÍCIOS PARA O BEBÊ. Melhora a circulação, deixando-o mais oxigenado. O movimento do exercício também o embala.

INDICAÇÕES

Todas as grávidas a partir do 2° trimestre, principalmente aquelas que desejam fortalecer a musculatura das coxas e pernas.

CONTRA-INDICAÇÕES

Gestantes com problemas nas pernas e nos joelhos e aquelas com contrações além do normal.

CHACRA TRABALHADO. Básico.

Meditação e Relaxamento

(Veja descrição nas páginas 105 a 115.)

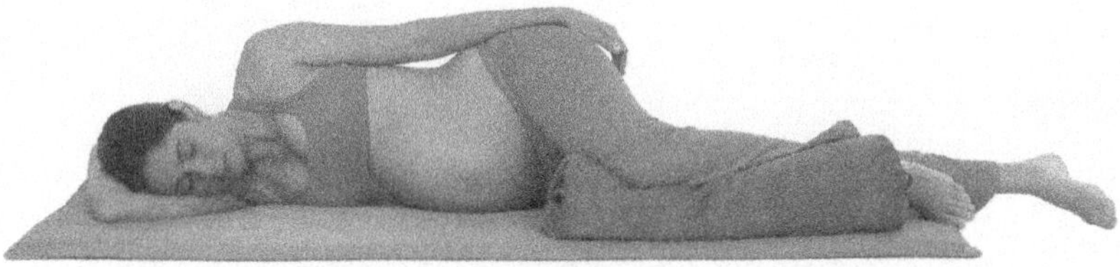

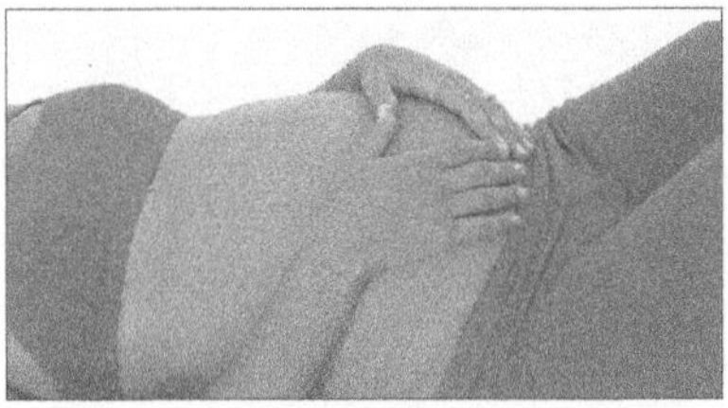

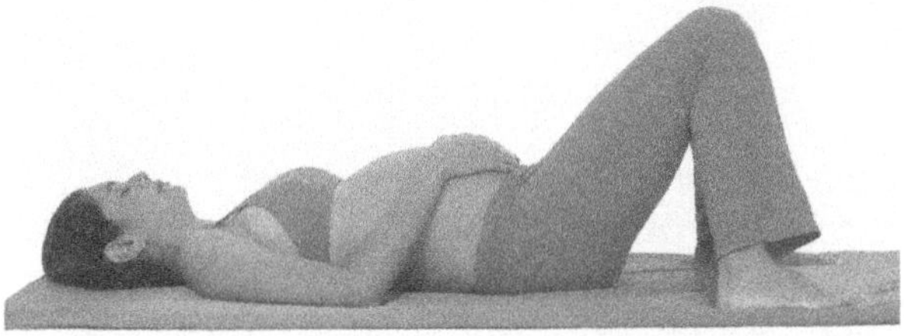

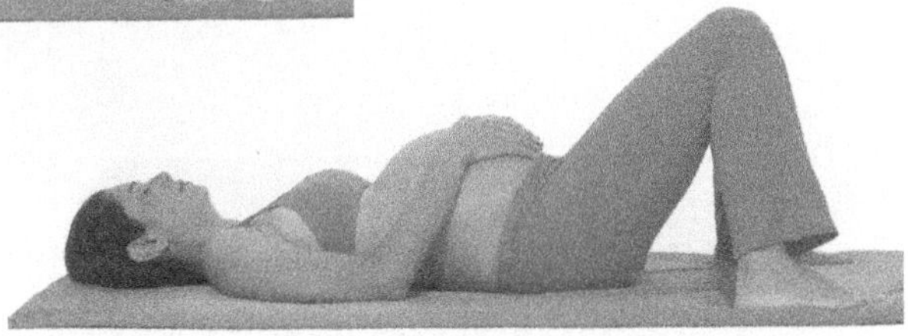

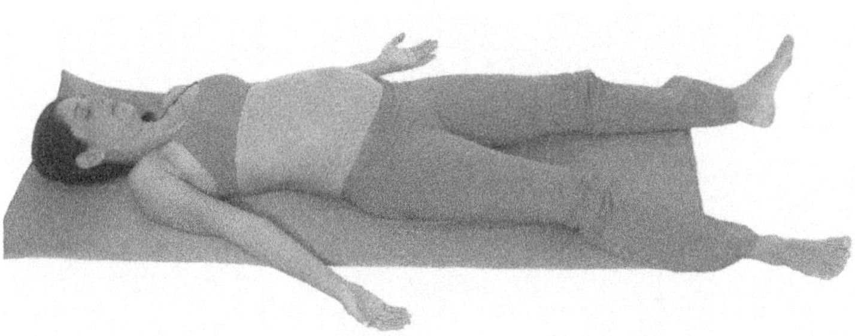

4. As posturas do 3º trimestre

Mamãe, prepare-se: está chegando a hora! A partir da 29ª semana de gestação, você entra na etapa final de sua gravidez, que pode chegar até a 42ª semana. O período é de grande felicidade, mas também pode ser de ansiedade, inquietação, impaciência e, de quebra, vir recheado de alguns sintomas físicos desconfortáveis. Mas, se você praticou yoga desde o início da gestação, tenha certeza de que vai tirar de letra o 3º trimestre, porque trabalhou progressivamente não apenas seu corpo, mas também sua mente, para se adaptar às transformações que ocorrem na vida da mulher que está prestes a dar à luz.

Logo que entra no sétimo mês, pode se surpreender com um certo inchaço nas pernas, nos tornozelos, nos pés e, às vezes, até nas mãos. Isso acontece porque o organismo agora retém mais líquido e a circulação sangüínea fica um pouco comprometida (podendo resultar em varizes e hemorróidas). Outra surpresa pode ser o retorno do desconforto digestivo (que costuma visitar as grávidas no 1º trimestre). O responsável por isso é o aumento do volume de seu útero, que passa a pressionar os órgãos, levando não apenas a dificuldades na digestão, como na respiração — o útero invade o espaço do diafragma e você pode sentir falta de ar. Dores nas costas, câimbras (principalmente à noite) e prisão de ventre são outros incômodos que tendem a surgir.

Apesar dessas possíveis condições, você estará muito bonita! A barriga cada vez mais proeminente a faz lembrar a todo momento que, em pouco tempo, estará com seu bebê nos braços. Não é à toa que muitas mulheres nessa fase passam a sonhar e a ter fantasias com o seu filho. É um ótimo momento, portanto, para caprichar nos exercícios de visualização durante a pratica do yoga e da meditação. E isso vai ser muito necessário para controlar a ansiedade que começa a surgir em relação ao bebê e ao parto, além de trabalhar sua atenção para as práticas do dia-a-dia — a tendência é que, na reta final da gravidez, você se torne mais distraída e tenha dificuldade de se concentrar no que está fazendo.

Ao final do sétimo mês, apesar de seu bebê já estar bem crescidinho — chega a pesar de 1 a 1,3 quilos e mede entre 37 a 40 centímetros —, continuará bastante ativo e esperto no ventre. Embora o espaço interno tenha diminuído, seus movimentos permanecem intensos, abre e fecha os olhos regularmente e tem maior percepção da luz, distingue entre o gosto doce e o amargo e responde a certos estímulos como o choro. Já está bem formado, mas alguns órgãos aproveitam para se aperfeiçoar, como o sistema nervoso e o cérebro. Os pulmões são os últimos a se desenvolver. Porém, se seu filho por acaso nascer agora, já terá grandes chances de sobreviver.

No oitavo mês, as sensações físicas do mês anterior podem continuar e se acentuar, principalmente as dores nas costas. Também não é para menos: sua barriga está tão grande, que você chega a duvidar que ela vai crescer mais — mas vai! Isso se refletirá em atos simples de sua vida, como se locomover (graças às pernas mais pesadas), sentar e levantar e até mesmo deitar (ao ficar de barriga para cima, o peso pode lhe trazer falta de ar). Mas tudo isso compensa quando você lembra que falta tão pouco tempo para realizar o sonho da maternidade — o aumento das contrações de Braxton-Hicks não vai deixá-la esquecer disso e até mesmo seus seios, já podem começar a gotejar o colostro! E a verdade é que começará a desejar que a gravidez termine logo.

No ventre, seu bebê está com tudo! Medindo 45 a 47 centímetros e pesando de 2.200 a 2.400 gramas, ocupa praticamente todo o espaço de sua barriga. Ele assume, então, uma posição mais confortável e que é ideal para o parto: de cabeça para baixo. Isso vai fazer com que a pressão sobre sua bexiga se acentue (assim como suas idas ao banheiro!). E prepare-se para sentir os inesquecíveis chutes nas costelas — sim, apesar do pouco espaço seu bebê continuará a chutar como nunca. Você, por sua vez, fica feliz com isso: a cada movimentação ou chute, seu tesouro dá sinais de que está correndo tudo bem com ele!

Mas, quando o nono mês chegar, não se assuste se ele ficar mais paradinho. É que, praticamente, não há mais espaço para ele no útero! E, quanto a você, estará no seu limite físico e emocional. Os desconfortos devido ao peso da barriga podem ter aumentado. Na verdade, seu corpo todo pesa e você pode ter dificuldade para se locomover (mas é justamente nessa hora que deve insistir em exercícios como caminhada e, em especial, yoga, porque trabalha muito a respiração e o relaxamento). A essa altura, já não consegue mais dormir direito, tanto pela falta de posição quanto pela ansiedade, excitação e preocupação pelo que vem pela frente: o parto. Por outro lado, a sensação é de alívio pela proximidade do nascimento.

De fato, seu filho está prontinho para nascer! Mede de 48 a 52 centímetros, pesa cerca de 3 quilos, seus rins, estômago e intestinos funcionam perfeitamente, os pulmões estão totalmente desenvolvidos, seu corpinho já possui uma boa camada de gordura, sua pele está macia e delicada e o desenvolvimento sensorial se mostra bastante apurado. Agora ele passa boa parte do tempo dormindo, como se estivesse se preparando para o parto.

Quer um conselho? Faça o mesmo! Descanse o máximo que puder, mas, sempre que possível, continue trabalhando seu corpo e sua mente. Para tanto, permaneça praticando sua série de yoga regularmente. Os exercícios serão de grande ajuda para evitar a maior parte dos desconfortos que podem ocorrer no finalzinho da gravidez ou, pelo menos, para que consiga lidar melhor com eles. E, principalmente, as posturas do 3° trimestre são bastante voltadas para o momento mais sublime após estes nove meses: o parto. Elas vão trabalhar a abertura da bacia, o fortalecimento do assoalho pélvico e a respiração mais adequada para o trabalho de parto, e ajudarão o bebê a descer e a se posicionar corretamente para o parto normal. E isso sem falar que serão de grande ajuda para manter suas emoções equilibradas para que o último trimestre e o nascimento sejam momentos muito tranqüilos e felizes para você.

Neste capítulo, são apresentados os exercícios que devem ser acrescentados à sua série, substituindo outros que você já praticava — o ideal é continuar realizando apenas de 15 a 20 posturas. Lembre-se de que, intercalados a eles, encontram-se as indicações das posturas já ensinadas nos outros trimestres e que podem continuar a fazer parte de seu cotidiano de prática do yoga (mas desde que o número total de exercícios em sua série não exceda 20 posturas). Outra lembrança fundamental: antes de partir para a série do 3° trimestre, converse com seu obstetra para saber se suas condições de saúde permitem que você continue praticando yoga até o finalzinho da gravidez. Além disso, é importante saber que, a partir da 36ª semana, se você estiver com boa saúde, será mais importante ainda fazer a sua série até o dia do parto — inclusive, pode (e deve!) fazer alguns exercícios no trabalho de parto, durante as contrações.

SUA SÉRIE DE YOGA

A seguir, apresentamos os exercícios indicados para o 3º trimestre da gravidez, na ordem mais adequada para serem praticados. Marque no quadrado ao lado de cada um deles os 15 a 20 que escolheu para compor sua série. Destaque ou xeroque esta página para servir de guia na hora em que você for praticar yoga.

3º TRIMESTRE

- ☐ *Sukshuma Vyayana* ou Exercício Sutil (p. 175)
- ☐ *Natarajasana* ou Postura da Dança Real (p. 175)
- ☐ *Vrikshasana* ou Postura da Árvore (p. 176)
- ☐ *Talasana* ou Postura da Palmeira (p. 176)
- ☐ *Talasana* ou Postura da Palmeira — Variação (p. 177)
- ☐ Estiramentos Laterais (p. 177)
- ☐ *Tiryaka Tadasana* ou Palmeira Envergando (p. 178)
- ☐ *Duikonasa* ou Descanso da Coluna (p. 178)
- ☐ Preparação para Cócoras com Contrações Perineais (p.179)
- ☐ Rotação Pélvica com Bhastrika (p. 182)
- ☐ *Hastinasana* ou Relax Dinâmico (p. 183)
- ☐ *Utkasana* — Variação (p.184)
- ☐ *Namaskar* — Variação (p.186)
- ☐ *Lakadi Kadhana* ou Cortanto Lenha (p. 188)
- ☐ *Uthanasana* ou Postura da Descida para Cócoras (p. 189)
- ☐ Andar de Patos (p. 190)
- ☐ *Ardha Kakasana* com *Bhastrika* (p. 192)
- ☐ Folha Dobrada (p. 194)
- ☐ Respirações *"pranayamas"* (p. 195)
- ☐ *Simhasana* ou Postura do Leão (p. 196)

- ☐ *Vajrasana* com Exercícios para os Seios (p. 197)
- ☐ *Mayariasana* ou Gatinho (p. 198)
- ☐ Gatinho — Variação 1 (p.198)
- ☐ Gatinho — Variação 2 (p. 198)
- ☐ Cachorro Abanando a Cauda (p. 199)
- ☐ *Yoga Mudrá* (p. 200)
- ☐ *Bhadrasana* ou Borboleta (p. 200)
- ☐ *Gomukhâsana* (p. 201)
- ☐ Pré-parto 2 (p. 201)
- ☐ Massageando a Lombar (p. 203)
- ☐ *Anantasana* ou Postura Infinita ou da Eternidade (p. 204)
- ☐ *Khandarana* ou Ponte — Variação (p. 207)
- ☐ Torção com os Joelhos (p. 208)
- ☐ Vaso Capilar ou Baratinha (p. 209)
- ☐ Abraçando os Joelhos (p. 209)
- ☐ Empurrando a Parede (p. 210)
- ☐ *Jathara Parivarthanasana* ou Pára-brisa (p. 211)
- ☐ *Matsya Kridasana* ou Relaxamento Lateral (p. 211)
- ☐ Meditação (p. 212)

POSTURAS INDICADAS PARA O 3º TRIMESTRE

Sukshuma Vyayana ou **Exercício Sutil** (Veja descrição pp. 37 a 41.)

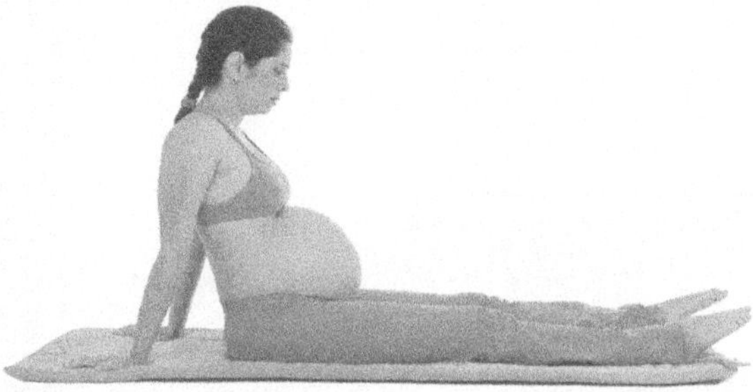

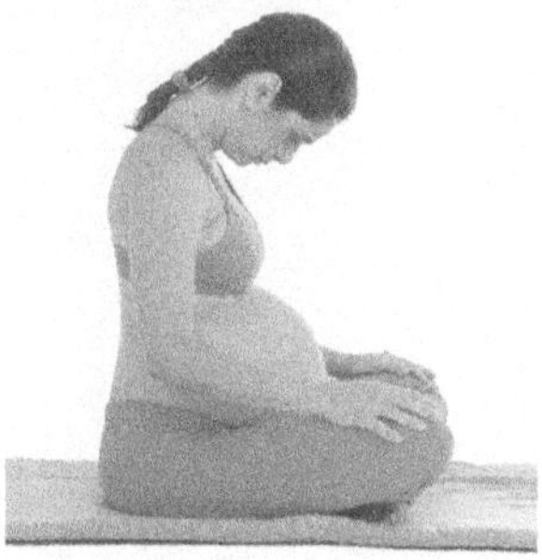

Natarajasana ou **Postura da Dança Real** (Veja descrição pp.135 e 136.)

Vrikshasana ou Postura da Árvore

(Veja descrição pp. 42 e 130 — Variação.)

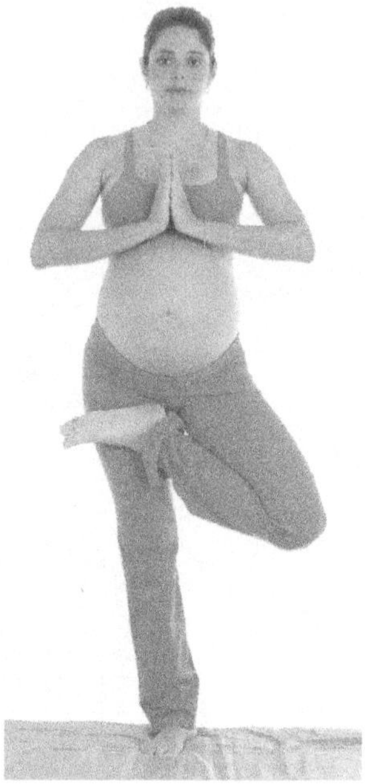

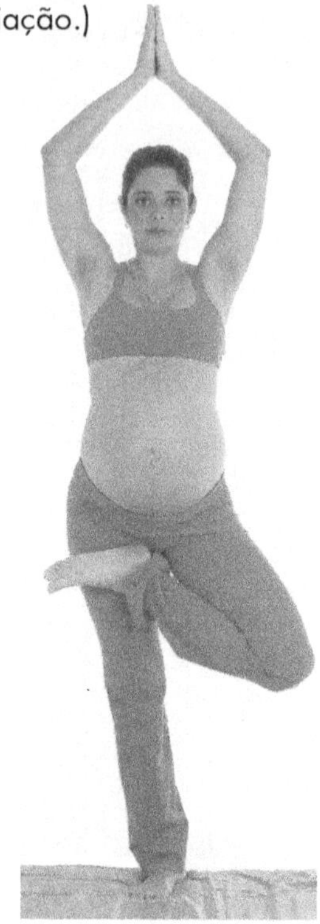

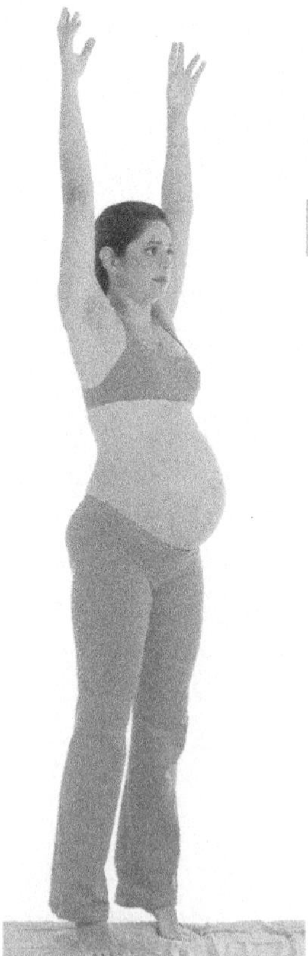

Talasana ou Postura da Palmeira

(Veja descrição pp. 44 e 45.)

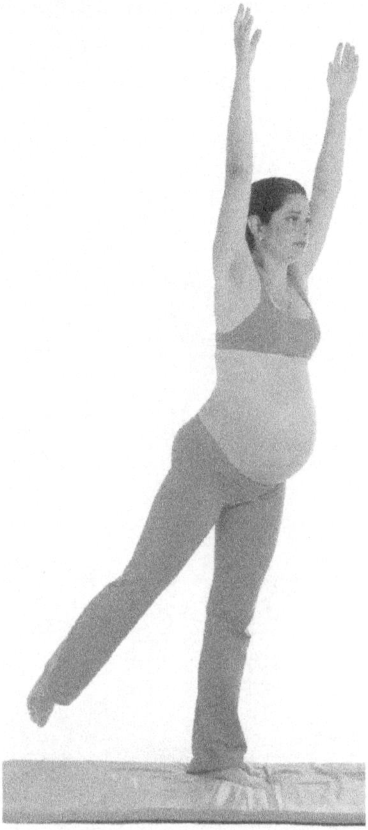

Talasana ou Postura da Palmeira

Variação

(Veja descrição p.132.)

Estiramentos Laterais

(Veja descrição pp. 59 e 60.)

Tiryaka Tadasana ou **Palmeira Envergando**

(Veja descrição pp. 50 e 51.)

Duikonasa ou **Descanso da Coluna**

(Veja descrição pp. 52 e 53.)

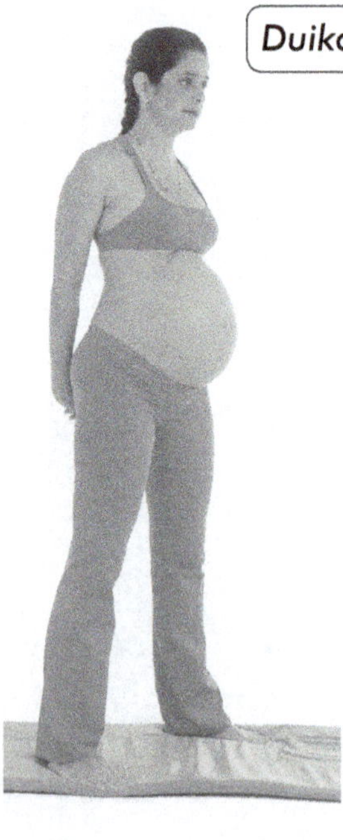

Preparação para Cócoras com Contrações Perineais

Inicie em pé, com os pés paralelos e afastados. Inspirando, eleve os braços, olhe para o alto e, simultaneamente, contraia o ânus. Ao expirar, relaxe a musculatura do ânus e vá descendo até acocorar.

Quando estiver de cócoras, procure perceber qual a melhor posição para você ficar (o ideal é manter as plantas dos pés apoiadas no chão, mas, se não conseguir, fique em meia ponta). Permaneça acocorada o tempo que desejar.

Assim que quiser subir, inspire e volte à posição inicial. Enquanto estiver olhando para o alto, lembre-se de contrair o ânus. Fique pouco tempo em pé e, expirando, desça novamente para a posição de cócoras.

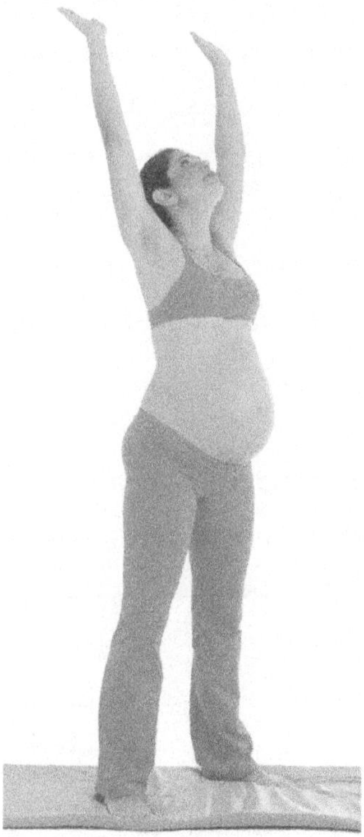

Você pode fazer até dez repetições. Mas aumente o ritmo progressi-vamente, iniciando a prática deste exercício com apenas três ou quatro repetições. **Atenção**: faça os movimentos bem lentamente.

Observação: Esta postura foi criada pelo obstetra paranaense Cláudio Paciornik, reintrodutor do parto de cócoras no Brasil e no mundo, a partir de diversas pesquisas realizadas com as índias do sul do país. O dr. Cláudio constatou que este é um exercício excelente para todas as grávidas, tomando como base o procedimento das índias quando estão próximo de dar à luz.

BENEFÍCIOS. Ajuda no encaixe e na descida do bebê, abre a bacia, facilita o afrouxamento dos ligamentos da pelve, fortalece e alonga as pernas, previne e alivia dores na coluna (principalmente na região lombar), trabalha as articulações da região coxo-femural e toda a musculatura do assoalho pélvico. Ao elevar os braços, a capacidade respiratória aumenta e fortalece os músculos peitorais, abrindo espaços internos para acomodar melhor o bebê, evitando o desconforto de senti-lo nas costelas. Elevar o rosto, fortalece a musculatura facial, evitando rugas. Este exercício pode ser feito para induzir o parto que está atrasado e durante o trabalho de parto, para facilitar o nascimento.

BENEFÍCIOS PARA O BEBÊ. Ele conquista mais espaço no ventre (de acordo com Cláudio Paciornik, a posição de cócoras confere, no mínimo, mais quatro centímetros internos para a passagem do bebê). Esta postura facilita o nascimento porque favorece a descida do bebê.

INDICAÇÕES

Grávidas no final do 3° trimestre (a partir da 35ª semana).

CONTRA-INDICAÇÕES

Grávidas com risco de prematuridade (só devem fazer este exercício após a 37ª semana de gestação) e aquelas com problemas nas pernas ou nos joelhos.

CHACRAS TRABALHADOS. Todos, em especial o básico.

Rotação Pélvica com *Bhastrika*

Em pé, com os pés afastados e paralelos e as mãos nos quadris, mantenha o eixo e faça a rotação dos quadris sem curvar o corpo e, de preferência, sem dobrar os joelhos. O movimento é semelhante ao de um bambolê, mas deve ser feito bem lentamente.

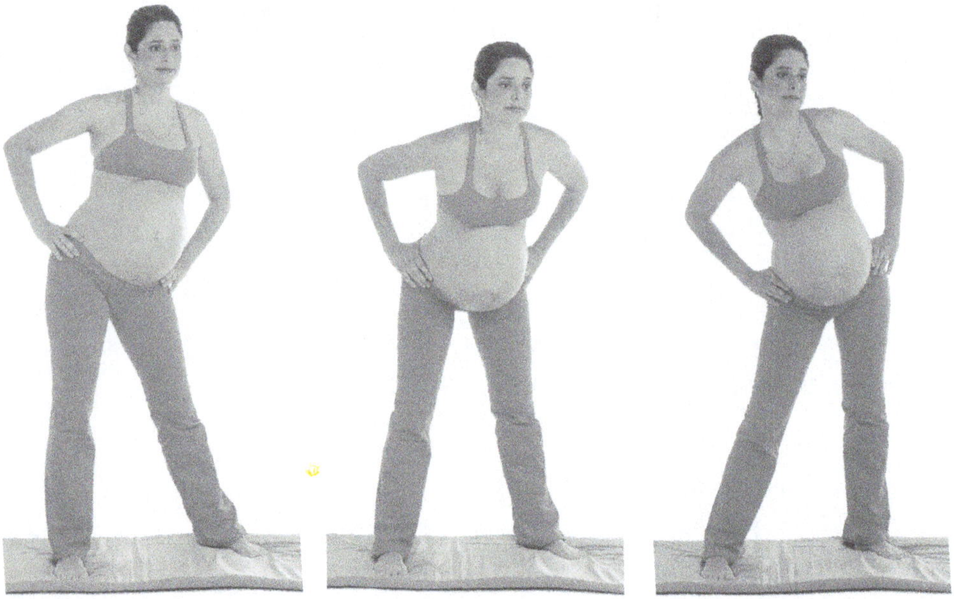

Primeiro, faça dez vezes no sentido horário e, em seguida, dez no sentido anti-horário. Durante todo o exercício, realize a respiração *bhastrika* (rápida, mas superficial).

BENEFÍCIOS. Previne e alivia as dores lombares, favorece o afrouxamento da musculatura e dos ligamentos da pelve e contribui para o encaixe e posicionamento do bebê para o nascimento. Este exercício pode ser feito no trabalho de parto, durante as contrações, aliviando a dor e ajudando na descida do bebê. Também pode ser praticado com a intenção de induzir o parto que está atrasado ou demorado.

BENEFÍCIOS PARA O BEBÊ. O movimento do exercício o embala deixando-o relaxado e o auxilia a encontrar a melhor posição para o nascimento.

INDICAÇÕES

Grávidas no 3º trimestre, principalmente no final da gravidez e durante as contrações do trabalho de parto.

CONTRA-INDICAÇÕES

Grávidas com risco de prematuridade (só devem fazer este exercício após a 37ª semana de gestação).

CHACRA TRABALHADO. Esplênico.

Hastinasana ou Relax Dinâmico (Veja descrição pp. 54 e 55.)

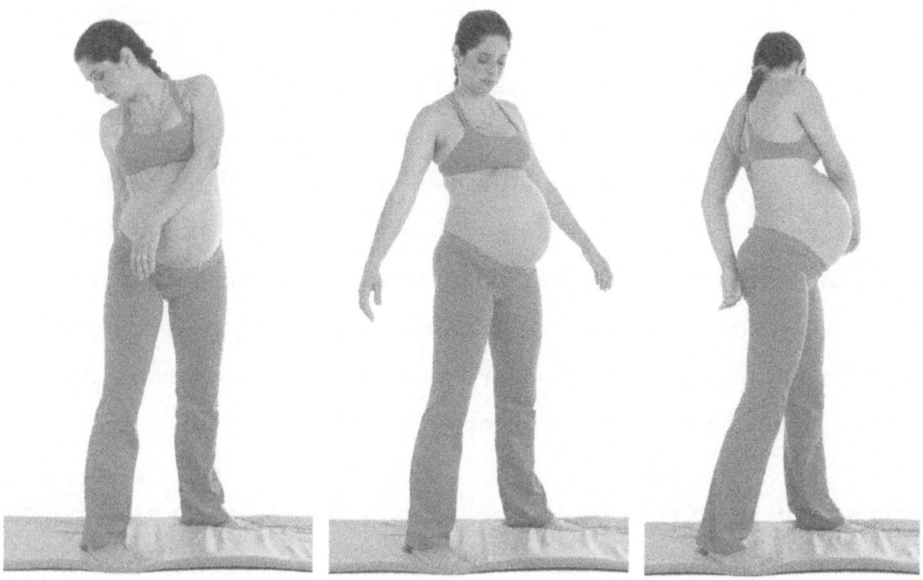

Utkasana — Variação

(Veja exercício original pp. 48 e 49.)

Em pé, mantenha os pés juntos o máximo que puder (devido ao crescimento da barriga, pode deixá-los um pouco separados para facilitar o equilíbrio). Fixe um ponto à frente e em baixo, na altura do umbigo.

Sincronize pés e mãos no movimento: inspire e eleve o corpo fazendo uma meia ponta com os pés, ao mesmo tempo em que leva as mãos à posição de prece (*pronam mudrá*).

Vá descendo expirando, abrindo os joelhos lateralmente até sentar sobre os calcanhares (se não conseguir, deixe as nádegas o mais próximo possível dos calcanhares). **Ajeite a postura**: separe mais os joelhos se for necessário, alinhe a coluna e mantenha os olhos fixos no ponto e as mãos abaixo do peito.

Inspirando, eleve os braços (ainda com as mãos unidas), alongando bem. Fique nessa postura o tempo que quiser, com a respiração livre.

Quando sentir que está desequilibrando ou cansando, desça as mãos até a altura do peito, feche as pernas, incline um pouco o corpo à frente, inspire e suba devagar.

BENEFÍCIOS. Fortalece a musculatura das pernas e exercita os pés, as articulações e o assoalho pélvico. Quando se eleva os braços, ocorre o alongamento de toda a coluna (prevenindo e aliviando dores nesta região), o fortalecimento da musculatura peitoral e a abertura de mais espaço para acomodar o bebê na barriga (evitando o desconforto de senti-lo nas costelas). Além disso, quando as mãos estão no alto em *pronam mudrá*, facilitam a captação de energia. O exercício colabora, ainda, para a abertura da bacia e facilita o encaixe e a descida do bebê.

BENEFÍCIOS PARA O BEBÊ. Ele ganha mais espaço interno e tem sua descida facilitada para o nascimento.

INDICAÇÕES

Gestantes de todos os trimestres com a gestação decorrendo tranqüilamente.

CONTRA-INDICAÇÕES

Grávidas com risco de prematuridade (só devem fazer este exercício após a 37ª semana de gestação) e aquelas com problemas nas pernas ou nos joelhos.

CHACRAS TRABALHADOS. Básico e cardíaco.

Namaskar — Variação

De cócoras, com os pés bem separados e as mãos sobre os joelhos, transfira o peso do corpo de um lado para o outro, sentando sobre o calcanhar da perna que está recebendo o peso (nesta, o pé fica em meia ponta). O pé da outra perna (que não está recebendo o peso) deve ficar totalmente apoiado no chão. A coluna permanece alinhada. Faça dez repetições para cada lado, alternadamente (mas vá aumentando o número de repetições progressivamente).

O exercício deve ser feito lentamente. Quando estiver sentada sobre cada calcanhar, pode permanecer nesta posição por um tempo, mantendo a respiração livre. Quando for mudar de um lado para o outro, expire. Mantenha a coluna alinhada.

Dica: Devido ao peso da barriga, algumas mulheres não conseguem fazer o exercício com as mãos nas coxas. Há duas alternativas se isso acontecer com você: espalme as mãos no chão, inclinando o corpo um pouco para frente, ou peça a ajuda de alguém, que deve segurar suas mãos (com seus braços esticados à frente do corpo) e, assim, você poderá fazer o exercício contando com este apoio.

BENEFÍCIOS. Ajuda muito a aliviar dores na coluna, dá elasticidade para a pelve, fortalece o períneo, as pernas e as articulações dos pés. Abre grandes espaços internos e favorece o posicionamento e a rotação do bebê, quando ele está numa posição inadequada para o parto. Pode ser feito para induzir o parto que está atrasado ou demorado e durante as contrações, para aliviar as dores.

BENEFÍCIOS PARA O BEBÊ. Ele ganha mais espaço no útero e consegue encontrar uma melhor posição para o nascimento. Além disso, o movimento do exercício o embala, gerando bem-estar.

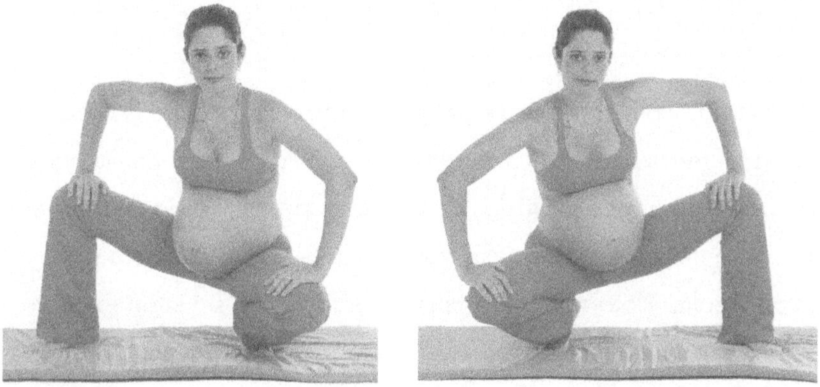

INDICAÇÕES

Grávidas do 3º trimestre.

CONTRA-INDICAÇÕES

Grávidas com risco de prematuridade (só devem fazer este exercício após a 37ª semana de gestação) e aquelas com problemas nas pernas ou nos joelhos.

CHACRA TRABALHADO. Básico.

Lakadi Kadhana ou Cortando Lenha

De cócoras, com os pés totalmente em contato com o chão (se não conseguir, coloque, preferencialmente, um apoio sob os calcanhares, como um pequeno saco de areia ou uma almofada, ou deixe os pés em meia ponta), entrelace as mãos à frente do corpo e, inspirando, eleve os braços bem para o alto.

Expire (soltando o ar bem forte pelas narinas) e, simultaneamente, desça os braços energicamente para a frente, imitando o movimento de rachar lenha. Repita duas a três vezes.

BENEFÍCIOS. Traz todos os benefícios dos exercícios feitos na postura de cócoras, como trabalhar a região pélvica e a coluna e facilitar a abertura da bacia. Mas, como é muito enérgico, facilita especialmente a descida do bebê, e a forte expiração produz um impacto que leva ao encaixe e à descida respectivamente. Pode ser usado no trabalho de parto, para fazer o bebê descer quando está alto.

BENEFÍCIOS PARA O BEBÊ. Nas últimas semanas da gestação, ajuda-o a se posicionar para nascer.

INDICAÇÕES

Grávidas a partir da 37ª semana.

CONTRA-INDICAÇÕES

Mulheres com problemas de coluna, nas pernas ou nos joelhos.

CHACRAS TRABALHADOS. Básico e laríngeo.

Uthanasana ou **Postura da Descida para Cócoras**

(Veja descrição pp. 143 e 144.)

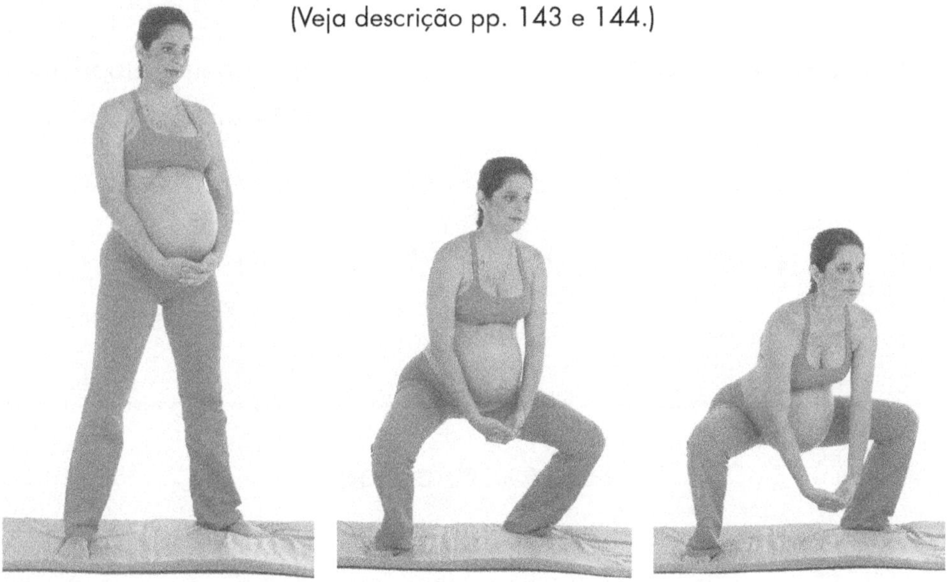

Observação: este exercício pode ser praticado no trabalho de parto, durante as contrações, para favorecer a descida do bebê. A parturiente pode fazer o movimento apoiando as mãos em algum local (janela, mesa ou cama) ou segurando as mãos de alguém.

Andar de Patos

De cócoras, com os pés em meia ponta, coloque as mãos nos joelhos e dê quantos passos à frente conseguir, de forma confortável, como se estivesse imitando o andar dos patos. Pare antes de se cansar. A respiração é livre.

Se a sua barriga estiver muito pesada, pode fazer o exercício com a ajuda de alguém: essa pessoa deve segurar suas mãos e, à medida que você vai dando os passos à frente, ela vai andando de costas.

BENEFÍCIOS. Ajuda a abrir a bacia, facilita a abertura de espaços internos para o bebê se posicionar, se encaixar, rodar e descer, facilitando muito o parto. Pode ser feito para induzir o parto atrasado e, quando o trabalho de parto está difícil e demorado, pode ser praticado nos intervalos das contrações.

BENEFÍCIOS PARA O BEBÊ. Ele ganha mais espaço para se posicionar melhor para o nascimento. O movimento da caminhada também é agradável para ele, o embalando.

INDICAÇÕES

Grávidas a partir da 35ª semana.

CONTRA-INDICAÇÕES

Grávidas com risco de prematuridade (só devem fazer este exercício após a 37ª semana de gestação) e aquelas com problemas nas pernas ou nos joelhos.

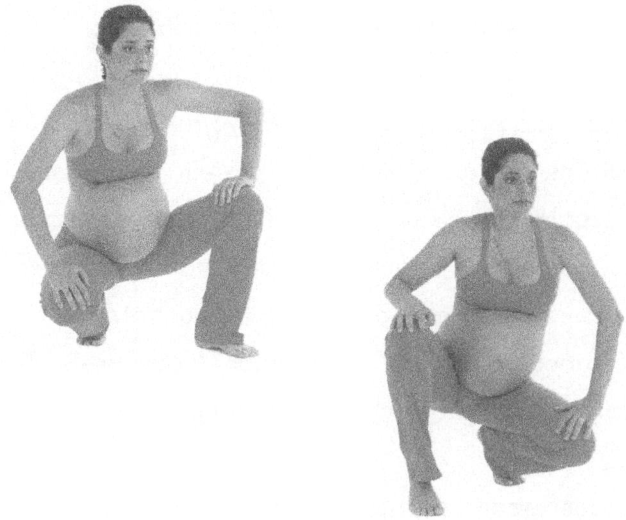

CHACRA TRABALHADO. Básico.

Ardha Kakasana com *Bhastrika*

Inicie sentada sobre os calcanhares (em *vajrasana*) e com as mãos sobre as coxas. Separe os joelhos, posicione os pés em meia ponta, leve as mãos para a frente, espalmando-as no chão, e fique o mais sentada possível que puder sobre os calcanhares (algumas pessoas não conseguem encostar nos calcanhares, mas não é para se posicionar de quatro).

Levante a cabeça e arrebite as nádegas. Nesta posição estática, faça a respiração *bhastrika* (rápida, mas superficial). Permaneça assim o tempo que conseguir.

Dica: você também pode ficar nesta posição apoiada num banquinho ou numa bola de fisioterapia.

BENEFÍCIOS. Promove a abertura da bacia, favorece o posicionamento correto do bebê para o nascimento e treina a respiração adequada para o parto. Pode ser feita no trabalho de parto, durante as contrações, para aliviar a dor. E também é uma boa posição para a parturiente receber massagem na região lombar ou o jato da ducha do chuveiro, visando à redução das dores durante o parto.

BENEFÍCIOS PARA O BEBÊ. Oxigena o bebê e facilita o seu encaixe para o nascimento.

INDICAÇÕES

Todas as grávidas no 3º trimestre.

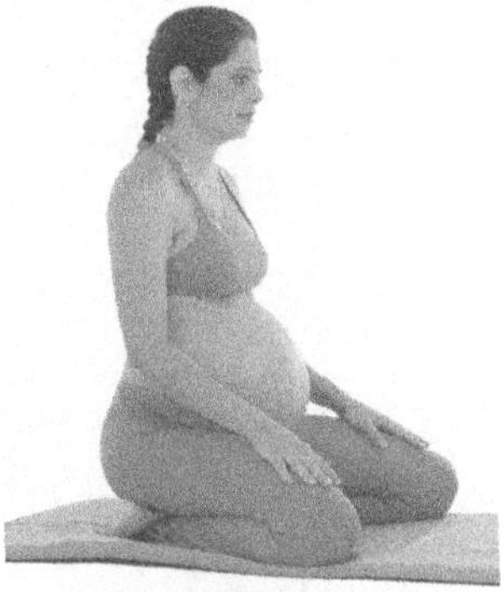

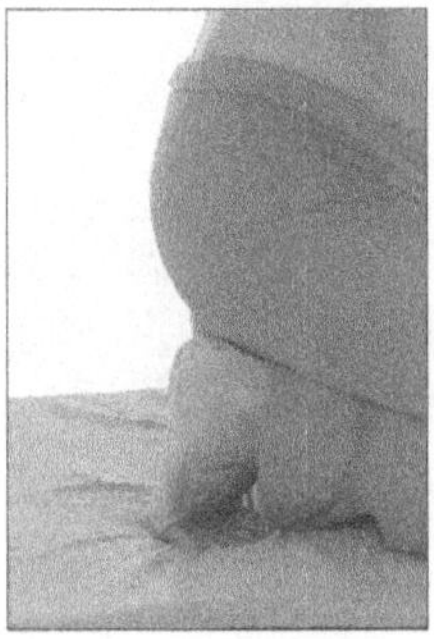

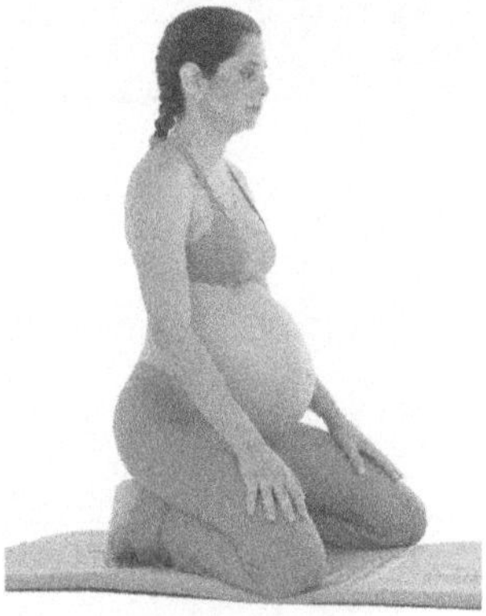

CONTRA-INDICAÇÕES

Não há.

CHACRAS TRABALHADOS. Básico e esplênico.

Folha Dobrada

(Veja descrição pp. 66 a 68.)

Respirações (*Pranayamas*)

(Veja descrição pp. 71 a 80.)

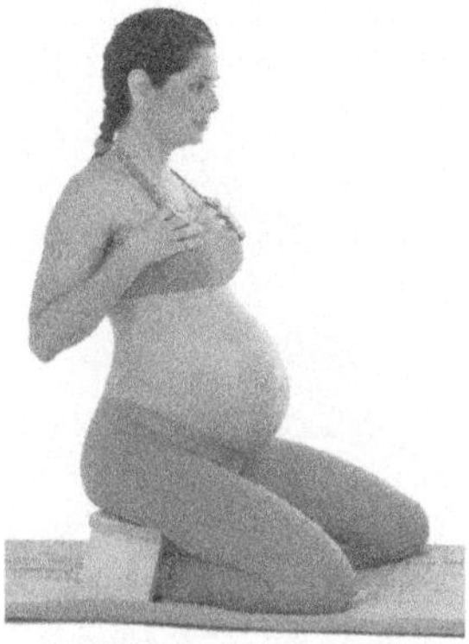

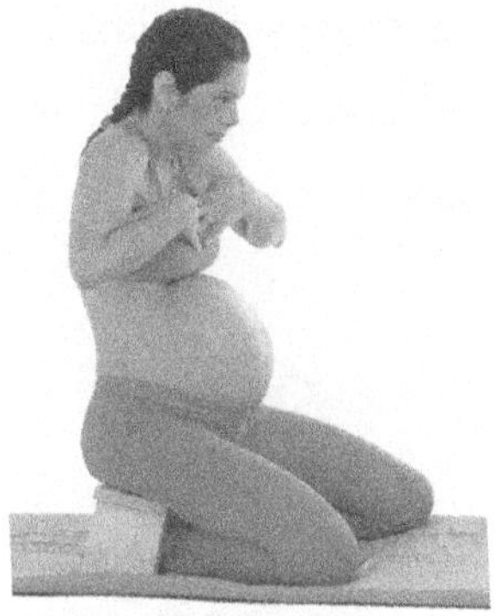

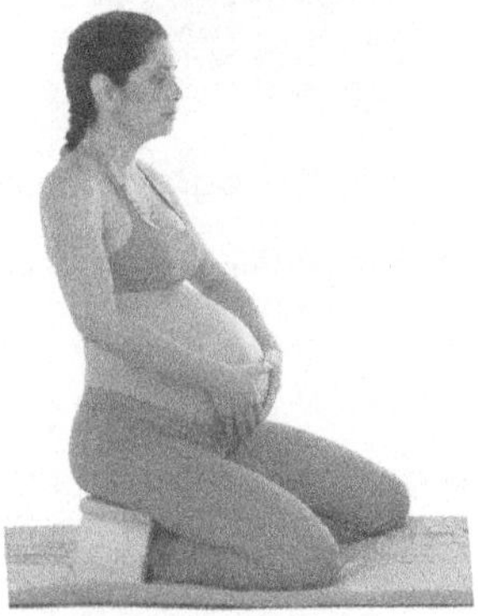

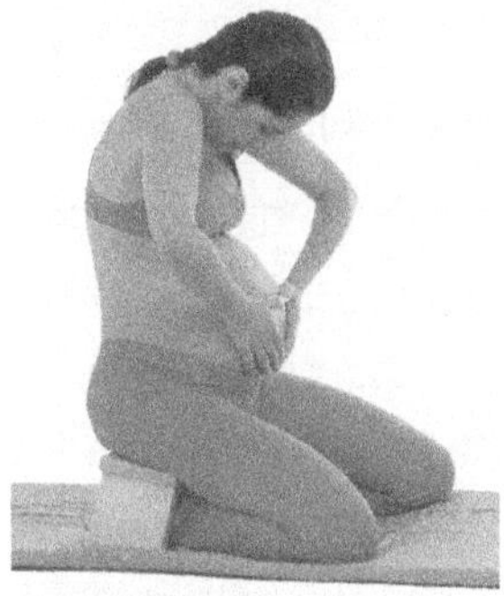

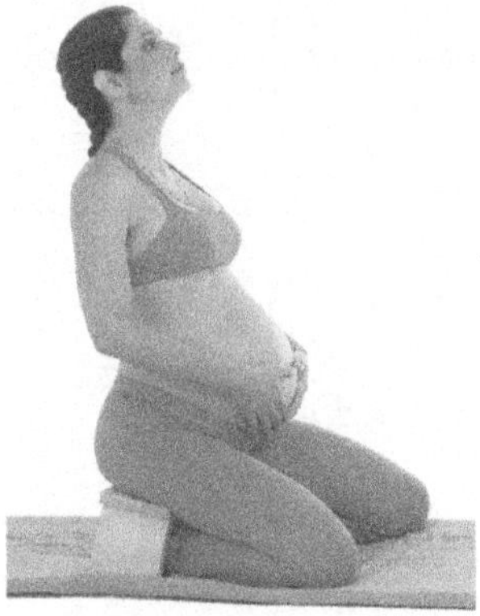

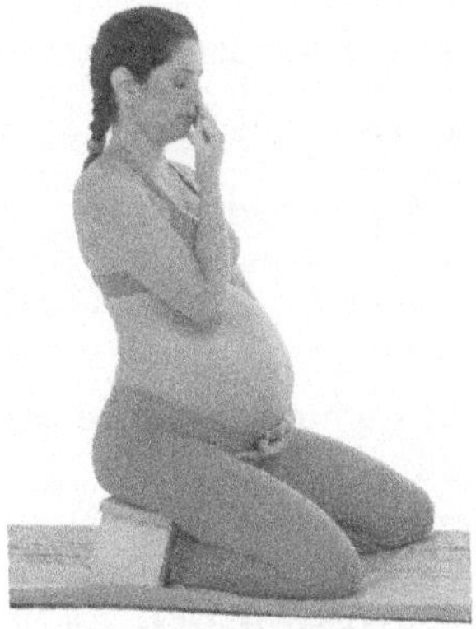

Simhasana ou Postura do Leão

Sentada em *vajrasana* ou em um banquinho *sei-za*, deixe os joelhos levemente separados e as mãos sobre as coxas. Inspire profundamente e, expirando, arregale os olhos (focando para cima), coloque a língua inteira para fora da boca, emitindo um som gutural, e estique bem os braços e os dedos. Faça tudo isso simultaneamente. Repita de seis a sete vezes.

BENEFÍCIOS. Melhora problemas respiratórios e de garganta, aumenta a oxigenação, facilita a respiração e fortalece a garganta, evitando problemas de amigdalite e faringite.

BENEFÍCIOS PARA O BEBÊ. Com a melhora da respiração da mãe, ele fica mais bem oxigenado.

INDICAÇÕES

Grávidas de todos os trimestres com asma, bronquite e problemas respiratórios constantes.

CONTRA-INDICAÇÕES

Grávidas com ameaça de aborto ou prematuridade.

CHACRA TRABALHADO. Laríngeo.

Vajrasana com **Exercícios para os Seios**

(Veja descrição pp. 81 a 92.)

Mayariasana ou Gatinho

(Veja o exercício original pp. 153 e 154.)

Variação 1

Variação 2

Cachorro Abanando a Cauda

Pratique este exercício logo após o Gatinho (ou suas variações). Em quatro apoios, jogue o quadril para um lado e, em seguida, olhe para o quadril. Depois, faça o mesmo para o outro lado. Repita dez vezes para cada lado, alternadamente. Mantenha a respiração livre e lembre-se de fazer o exercício lentamente.

BENEFÍCIOS. Exercita as regiões dorsal e lombar da coluna, prevenindo e aliviando dores devido ao pinçamento do nervo ciático, e dores nas costas em geral. Trabalha as polaridades e a coordenação motora.

BENEFÍCIOS PARA O BEBÊ. O movimento do exercício é agradável para ele, o embalando.

INDICAÇÕES

Gestantes no 2º ou 3º trimestre.

CONTRA-INDICAÇÕES

Grávidas com risco de prematuridade ou com problemas nos joelhos.

CHACRAS TRABALHADOS. Básico e frontal.

Yoga Mudrá (Veja descrição pp. 112 a 114.)

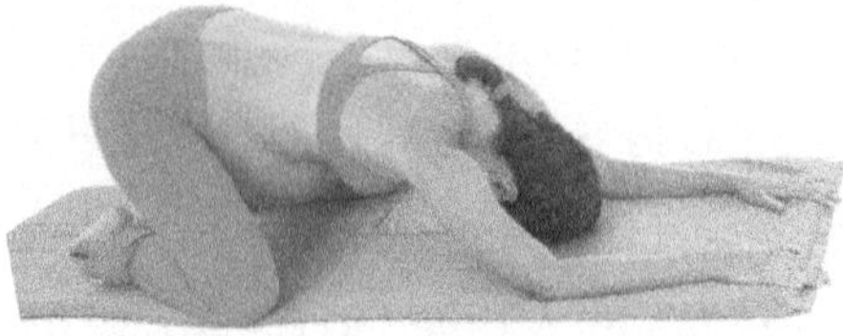

***Bhadrasana* ou Borboleta** (Veja descrição pp. 158 e 159.)

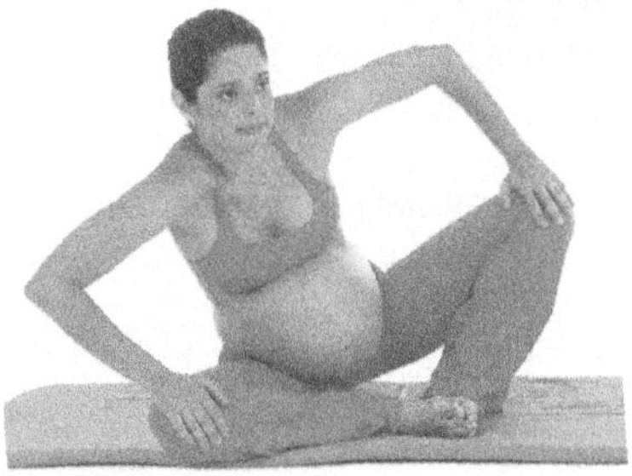

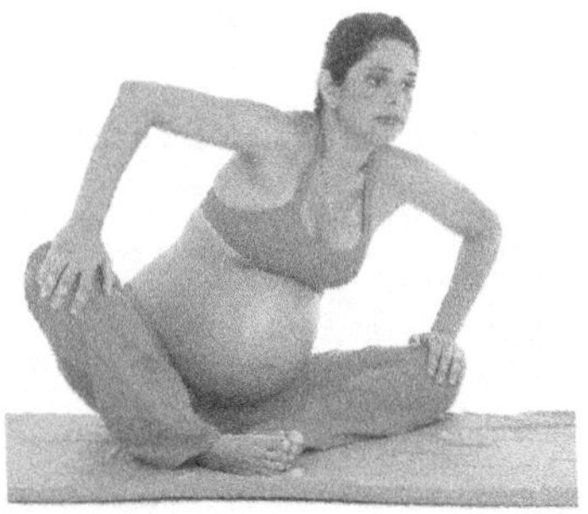

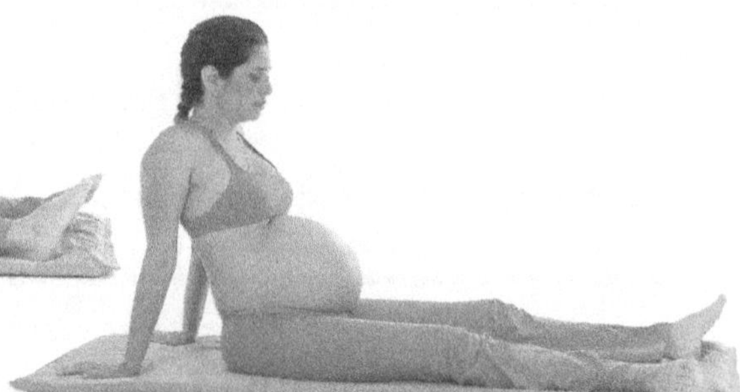

Gomukhâsana

(Veja descrição pp. 93 e 94.)

Observação: nesta fase da gravidez, este exercício é importante para as grávidas com o bebê muito alto, trazendo desconforto para as costelas. Abre mais espaços laterais, alonga a cintura e melhora a respiração. O bebê também se beneficia, porque ganha mais espaço na barriga.

Pré-parto 2

Deitada de barriga para cima, flexione as pernas e una os dedões dos pés, deixando as mãos soltas sobre os joelhos (não faça força sobre eles — as mãos devem apenas ajudar no movimento de rotação dos joelhos).

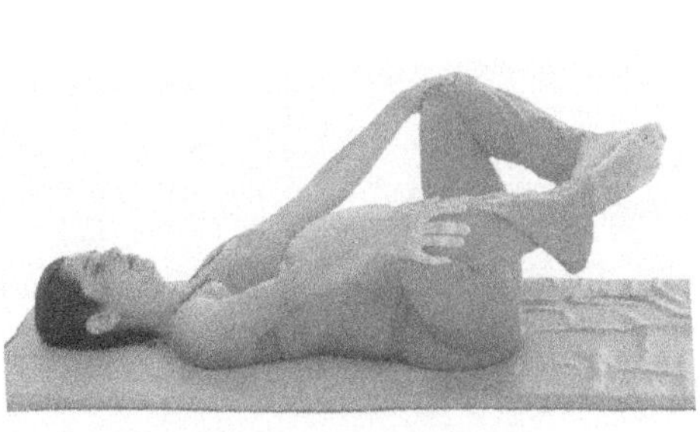

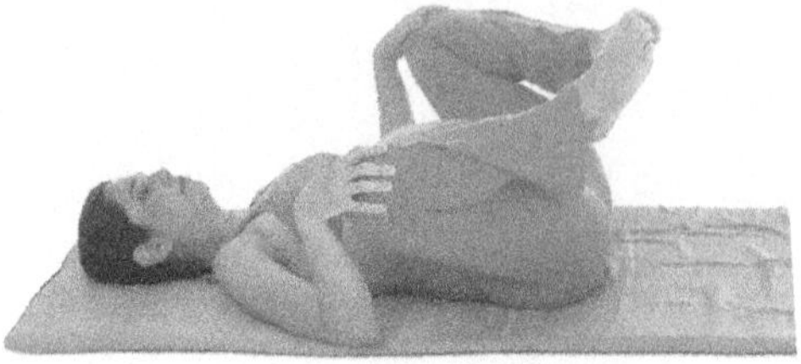 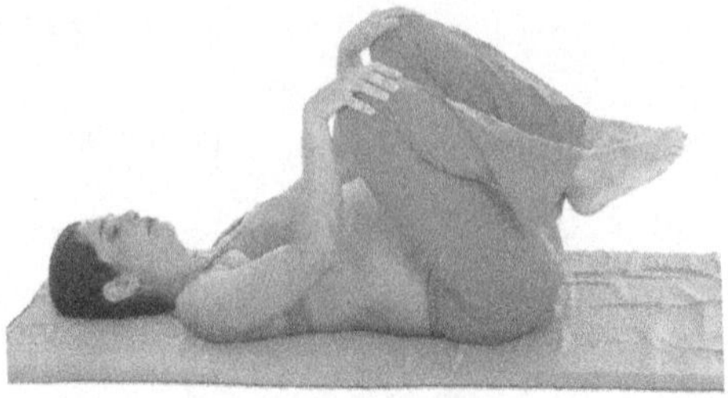

Faça movimentos circulares com os dois joelhos ao mesmo tempo: primeiro, dez vezes na direção para fora das pernas; em seguida, dez vezes para dentro. A respiração é livre. **Mas atenção**: ao praticar o exercício, tome cuidado para não contrair a barriga, evitando provocar contrações. Faça o exercício muito lentamente.

Dica: se você não agüenta ficar deitada de barriga para cima, pode colocar uma pequena almofada debaixo da lombar. Dessa forma, conseguirá fazer o exercício.

BENEFÍCIOS. Trabalha bem a articulação coxo-femural, favorece a elasticidade e a abertura da bacia e fortalece a musculatura do assoalho pélvico. Faz uma boa massagem na região lombar, prevenindo e aliviando dores na coluna.

BENEFÍCIOS PARA O BEBÊ. O movimento o embala na barriga e o exercício o estimula a se posicionar melhor para o nascimento.

INDICAÇÕES

Grávidas do 3º trimestre.

CONTRA-INDICAÇÕES

Gestantes com problemas de coluna.

CHACRAS TRABALHADOS. Básico e esplênico.

Massageando a Lombar

Deitada de barriga para cima, flexione as pernas mantendo os joelhos unidos e alongue os braços ao lado do corpo. Faça um movimento circular com os dois joelhos ao mesmo tempo (ambos vão girar na mesma direção). Repita dez vezes para cada lado.

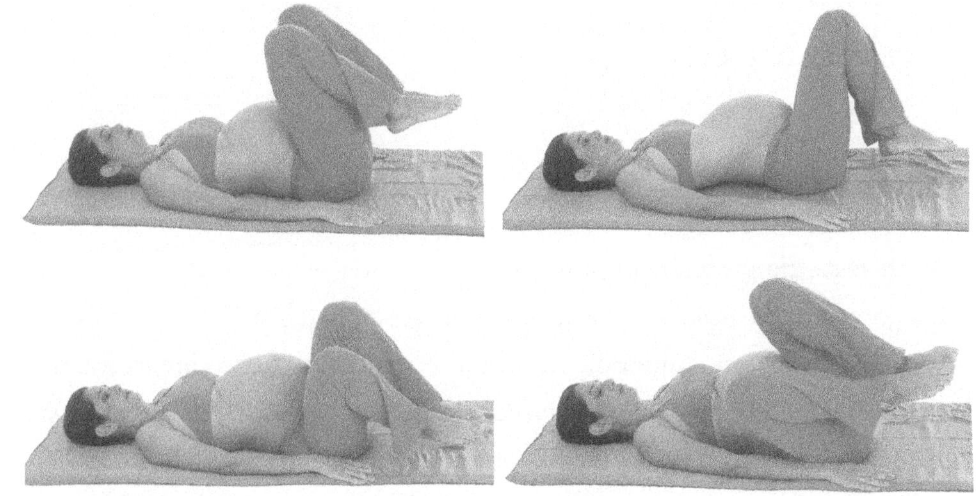

Dica: não há a necessidade de fazer um círculo perfeito. O mais importante é a concentração na massagem lombar, que o próprio peso do corpo vai fazer. Por isso, jogue bem o peso para um lado e para o outro. Você sabe onde está sentindo dores, então, concentre o peso de seu corpo mais para essa região.

BENEFÍCIOS. Massageia a região lombar, prevenindo e aliviando dores.

BENEFÍCIOS PARA O BEBÊ. O movimento o embala.

INDICAÇÕES

Grávidas do 3º trimestre.

CONTRA-INDICAÇÕES

Grávidas com problemas sérios de coluna, durante os períodos de dor (por exemplo, crise de hérnia de disco ou nervo ciático inflamado). Mas se o problema estiver controlado, podem fazê-lo como forma de prevenção de novas dores.

CHACRA TRABALHADO. Esplênico.

Anantasana ou **Postura Infinita** ou **da Eternidade**

Deite-se, de preferência primeiro sobre o lado esquerdo do corpo, com o braço esquerdo esticado sob a cabeça (se possível, espalme a mão na parede, para dar estabilidade). Traga o calcanhar da perna direita sobre a virilha esquerda. Pode segurar o tornozelo ou, se tiver dificuldade, espalme a mão no chão em frente ao peito. Permaneça um tempo nesta posição.

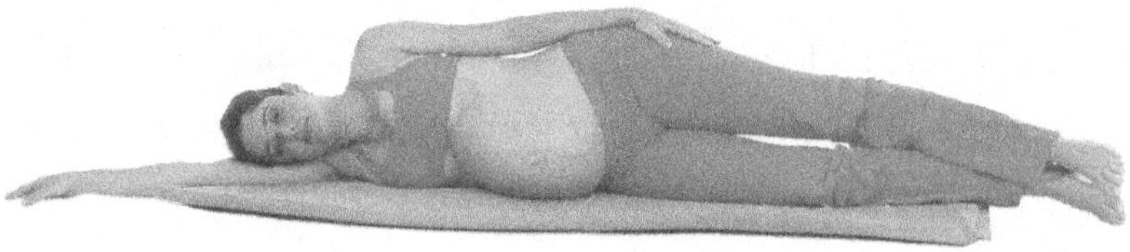

Observação: as fotos que apresentamos mostram a grávida deitada sobre o lado direito.

Agora abrace lateralmente o joelho, permanecendo o mesmo tempo da etapa anterior.

Estique a perna para o alto, segurando-a onde alcançar. Fique assim pelo mesmo tempo. Se quiser, pode aproveitar e trabalhar a circulação, fazendo movimentos circulares com o pé e o alongando.

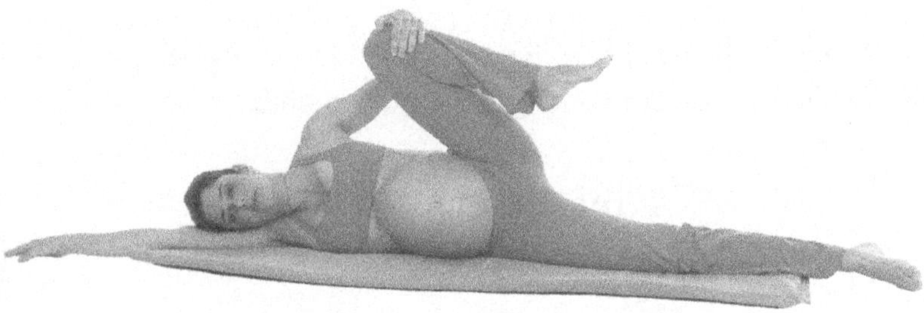

Volte a abraçar o joelho lateralmente, posicione o pé na virilha e, por último, escorregue o pé pela perna esquerda até que a perna direita esteja alongada. Repita o exercício com a outra perna.

Dica: a respiração neste exercício pode ser livre. Mas, se quiser, pode acompanhar o movimento com expirações e inspirações: ao trazer o pé na virilha, inspire e, na permanência na postura, deixe a respiração livre; inspire para abraçar a perna e deixe a respiração livre; inspire para subir a perna e deixe a respiração livre. Volte a perna expirando a cada etapa.

BENEFÍCIOS. Esta postura de lado melhora a oxigenação da mãe e do bebê. Quem está com problemas respiratórios, ao deitar de lado consegue desentupir o nariz. O exercício trabalha a abertura das pernas, as articulações dos joelhos e coxo-femural e a abertura pélvica. Previne e alivia as dores na coluna, principalmente as do nervo ciático. Também ativa a circulação.

BENEFÍCIOS PARA O BEBÊ. Ele fica mais oxigenado. O exercício também o estimula a se posicionar corretamente para o nascimento.

INDICAÇÕES

Grávidas no 3º trimestre.

CONTRA-INDICAÇÕES

Gestantes que estejam de repouso ou com algum risco de prematuridade.

CHACRA TRABALHADO. Básico.

Khandarana ou **Ponte – Variação**

(Veja o exercício original na p. 95)

Deitada de barriga para cima, dobre as pernas trazendo os pés para bem perto das nádegas (os pés devem ficar separados). Para preparar a posição, segure os tornozelos (se você não conseguir alcançá-los, deixe as palmas das mãos viradas para baixo, bem próximo aos pés).

Inspirando, leve os braços esticados para trás e eleve o quadril o mais alto possível. Ao chegar a um limite confortável, pare e deixe a respiração livre. Fique o tempo que quiser ou conseguir.

Para voltar à posição inicial, vá expirando e descendo o quadril lentamente.

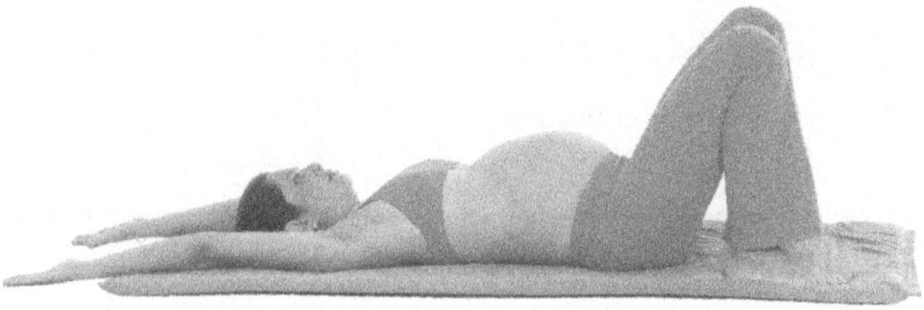

BENEFÍCIOS. A elevação do quadril fortalece a musculatura da parede abdominal, do útero e da coluna lombar. A leve inversão do exercício incentiva o melhor posicionamento do bebê para o parto (se ele estiver sentado, mudará de posição). A compressão que ocorre na região glútea trabalha esta musculatura e evita a formação de celulite. Também previne e alivia dores no nervo ciático. Os braços para trás promovem um alongamento ainda maior e abrem espaços internos, evitando o desconforto de sentir o bebê nas costelas.

BENEFÍCIOS PARA O BEBÊ. A leve inversão do exercício o estimula a mudar de eixo, caso esteja mal posicionado para o parto. Ele ganha mais espaço na barriga.

INDICAÇÕES

Gestantes no 3° trimestre e, principalmente, aquelas com o bebê mal posicionado ou com a barriga muito alta.

CONTRA-INDICAÇÕES

Grávidas com hérnia de disco ou com algum problema muito grave na coluna lombar. E para aquelas que sofrem desconforto com o peso da barriga, porque não conseguirão ficar deitadas nesta posição (mas isso é raro: a maior parte das gestantes consegue).

CHACRAS TRABALHADOS. Básico, esplênico e umbilical.

Torção com os Joelhos (Veja descrição pp. 97 e 98.)

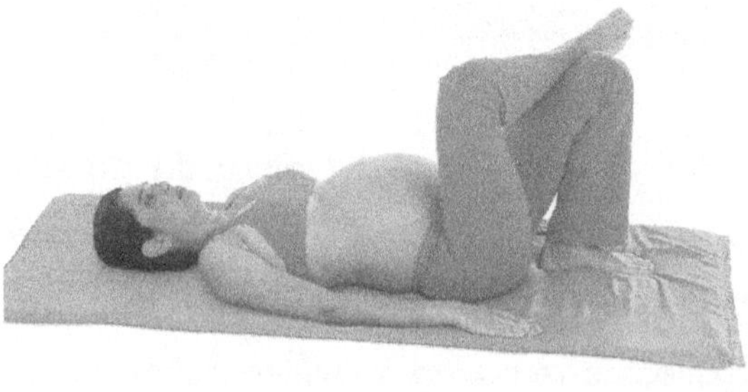

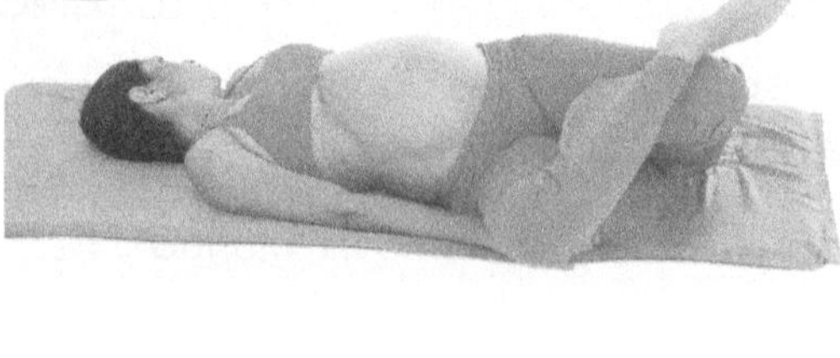

Vaso Capilar ou Baratinha

(Veja descrição pp. 99 e 100.)

Abraçando os Joelhos

(Veja descrição pp. 101 e 102.)

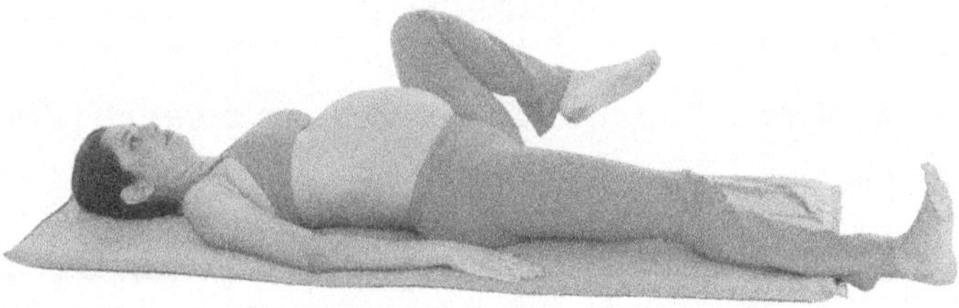

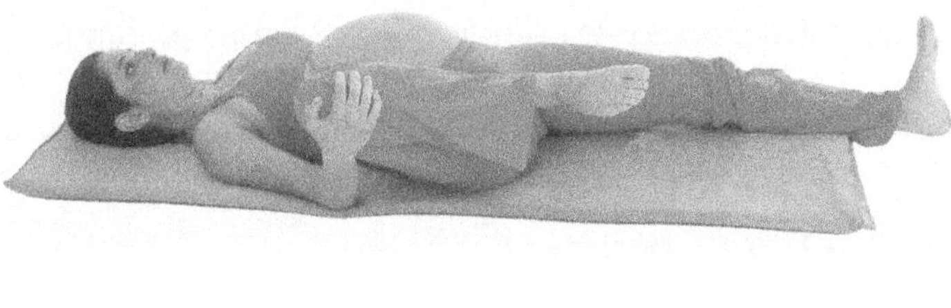

Empurrando a Parede

Deitada de barriga para cima, flexione os pés, sentindo o alongamento dos calcanhares e apontando os dedos dos pés para o seu rosto. É como se quisesse empurrar uma parede. Fique 20 segundos nesta posição, com a respiração livre, e relaxe. Repita três vezes.

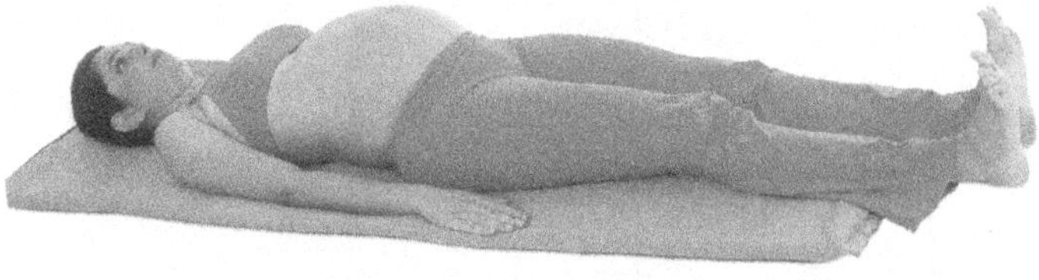

BENEFÍCIOS. Alivia as dores na coluna, principalmente devido ao pinçamento do nervo ciático, trabalha a musculatura das pernas e dos pés e o alongamento da parte posterior das pernas.

BENEFÍCIOS PARA O BEBÊ. Ele fica relaxado.

INDICAÇÕES

Especialmente para grávidas no 3° trimestre com dores no nervo ciático e na região lombar (mas pode ser feito em qualquer época da gravidez).

CONTRA-INDICAÇÕES

Gestantes que não conseguem deitar de barriga para cima.

CHACRA TRABALHADO. Básico.

Jathara Parivarthanasana ou **Pára-brisa** (Veja descrição pp. 103 e 104.)

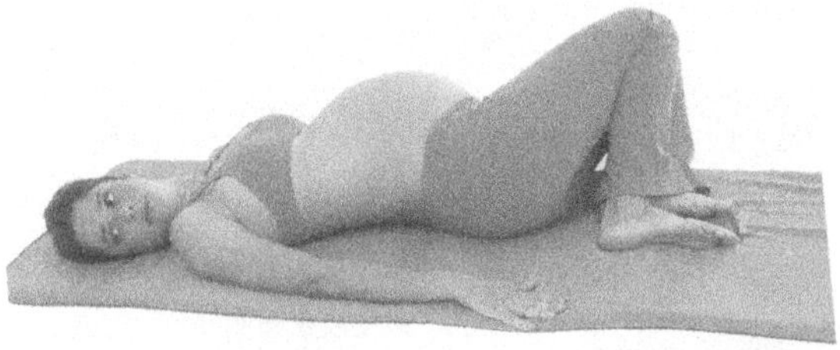

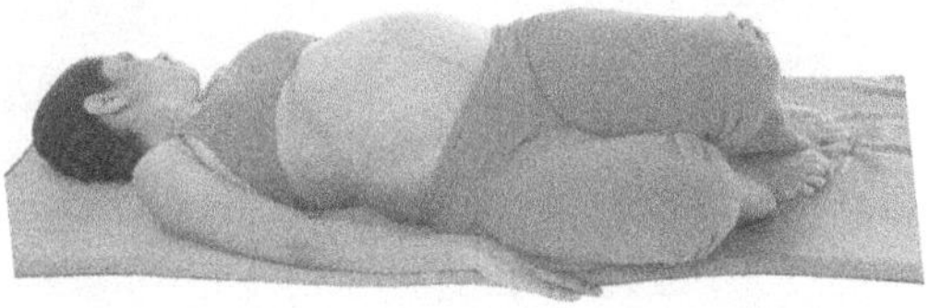

Matsya Kridasana ou **Relaxamento Lateral** (Veja descrição pp. 105 e 106.)

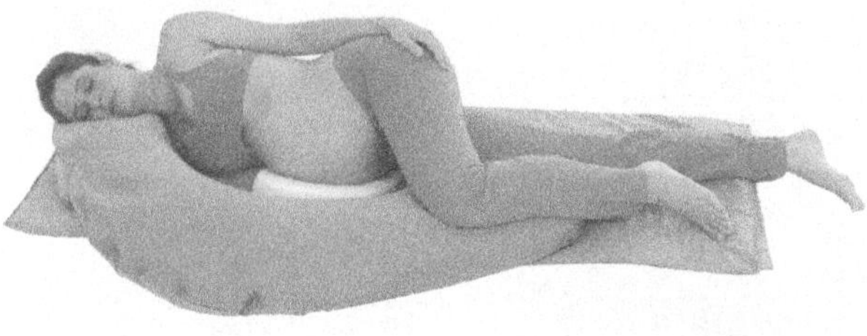

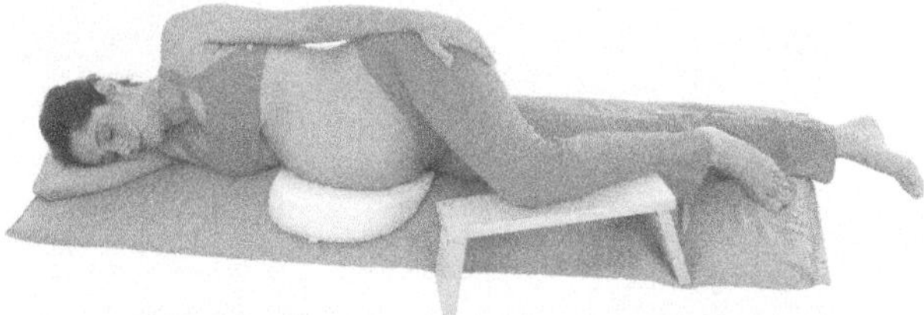

Observação: para obter mais conforto nesta postura no 3º trimestre, coloque uma almofada embaixo da barriga e outra sob a perna que fica flexionada (ou um banquinho *sei-za*). Você também pode usar almofadas próprias para auxiliar as gestantes a dormir confortavelmente e que, depois, servem para acomodar o bebê na hora da amamentação.

Meditação

(Veja descrição p. 115.)

5. Exercícios para situações especiais no parto

O Brasil é o segundo país a realizar maior número de cesarianas — só perde para o Chile. Boa parte desses casos ocorre quando o bebê está mal posicionado para o parto normal. Até pouco tempo atrás, alguns médicos ainda insistiam no parto normal, porque é de conhecimento geral que estes posicionamentos inadequados podem ser revertidos até o último instante do trabalho de parto. Mas, atualmente, a maioria dos médicos não espera partindo logo para a intervenção cirúrgica.

Existem exercícios — que são variações de posturas de yoga — que conseguem auxiliar o bebê a encontrar, no útero, a melhor posição para nascer, com chances altíssimas de serem bem-sucedidos. As situações mais bem sucedidas através destas práticas são:

BEBÊ PÉLVICO. O bebê está sentado. Até a 34ª semana de gestação, ele pode estar em qualquer posição no ventre. Mas, nesta fase da gravidez, 90% dos bebês vão espontaneamente para a posição cefálica (de cabeça para baixo, ideal para nascer). Ninguém sabe ao certo por que alguns deles insistem em permanecer sentados. Mas a maioria dos especialistas sabe que, apesar de ser mais difícil virar numa fase mais avançada da gravidez, devido à falta de espaço, o bebê é capaz de ir para a posição cefálica após a 34ª semana e até mesmo durante o trabalho de parto. O bebê pélvico, portanto, não é um indicativo de que será necessário fazer uma cesariana.

Além dos exercícios (ensinados adiante), há outros recursos que podem ajudar o bebê a se posicionar corretamente. Terapias naturais, como homeopatia, florais, cromoterapia e moxabustão, costumam surtir bons resultados. Outro recurso simples é levantar o pé da cama (com tijolos, madeira ou livros) para que a gestante possa dormir com a cabeça em um nível mais baixo do que os pés, mantendo os quadris elevados. Acredita-se que, dessa maneira, o bebê ganha mais espaço para fazer sua "pirueta" no útero.

Numa situação de bebê pélvico, o mais importante é que a futura mamãe acredite que o bebê será capaz de virar. Conversar com ele a respeito da importância de ir para a posição correta e mentalizar que ele já está lá são ótimas medidas a serem tomadas. E é bom que a gestante não fique comentando com as pessoas que o seu bebê está pélvico, para não se deixar sugestionar pela opinião dos outros de que a única saída é a cesariana e, muito menos, para não se deixar influenciar por uma corrente negativa de que não há nada que possa ser feito.

BEBÊ COM DORSO À DIREITA. A maioria dos bebês no ventre, quando já estão na posição cefálica, se acomodam com as costas em contato com o lado esquerdo do corpo da mulher. Esta é a melhor posição para nascerem de maneira mais fácil e rápida. Mas alguns ficam com as costas para o lado direito da mãe. Esta é a chamada posição *occiptus posterior* (OP). Quando o bebê está assim, ele entra na bacia de forma inadequada, tornando, em geral, o parto mais difícil e demorado. Isso porque, para que consiga se posicionar corretamente para entrar no canal de nascimento, vai precisar dar uma volta bem maior.

Existem várias formas de tentar induzir o bebê a ir para o lugar certo. Os exercícios (apresentados a seguir) abrem mais espaço do lado em que ele está, favorecendo a rotação que precisa fazer — a qual, talvez, esteja sendo dificultada justamente por falta de espaço no útero. Além disso, o movimento da mãe durante a prática dos exercícios vai favorecer esta movimentação intra-uterina. Terapias alternativas também podem surtir resultado, assim como conversar com o bebê (explicando a situação e pedindo-lhe que vá para o lado melhor para nascer) e praticar a mentalização criativa (visualizando o bebê no local correto).

Atenção: os recursos que assinalamos tanto no caso do bebê pélvico como no do bebê em OP devem ser utilizados apenas até que ele se posicione de maneira adequada para o parto. Assim que o bebê se posicionar corretamente, é importante parar com a prática de exercícios específicos e outros métodos, para que ele não acabe voltando à posição errada. No caso do bebê pélvico, muitas vezes a mãe sente uma movimentação diferente na barriga e percebe que ele já virou, o que também pode ser revelado pela própria apalpação da barriga feita por um especialista. Mas, na maioria das vezes, apenas a ultra-sonografia — principalmente no caso de bebê em OP — poderá assegurar se o bebê conseguiu encontrar a posição mais acertada para o nascimento.

EXERCÍCIOS INDICADOS PARA CASOS DE BEBÊ PÉLVICO

Andar de quatro

Comece de cócoras (podendo deixar os pés em meia ponta), com as mãos espalmadas no chão, à sua frente. Levante as nádegas, mantendo as mãos no chão e os joelhos um pouco dobrados, ficando semelhante a um gafanhoto. Comece a caminhar nesta posição. Pare antes de se cansar e antes de sentir qualquer desconforto.

Você pode praticar este exercício fora da sua série de yoga, durante vários horários ao longo do dia. A única recomendação é não fazê-lo quando estiver com o estômago cheio.

Ponte com almofada

O exercício pode ser iniciado de três formas: você se deita e depois coloca (ou pede para alguém colocar) uma almofada sob os quadris; então senta na almofada e vai apoiando os braços no chão, descendo até se deitar; ou se senta na almofada e alguém, por trás, segura seu tronco, aju-dando-a a descer.

Fique assim o tempo que se sentir confortável — pode permanecer na postura por vários minutos. O importante é que se sinta relaxada.

Dicas:

- Não adianta elevar apenas as pernas. Isto só favoreceria a circulação. O objetivo do exercício é elevar o tronco de modo que os quadris fiquem mais altos.
- Este exercício também pode ser feito da seguinte maneira: você se deita, apóia as pernas numa cadeira e coloca uma almofada sob os quadris para elevar o tronco.
- Mais duas alternativas para ficar na postura invertida: permaneça por alguns minutos deitada sobre uma prancha de exercícios abdominais ou sobre uma *pranali* (prancha para meditação, mais larga e confortável do que as pranchas de abdominais).

Sarvangasana

Esta é uma adaptação de uma postura do yoga que é feita, tradicionalmente, sem o auxílio da parede. Deite-se, posicionando as nádegas o mais perto possível da parede. Se quiser, coloque as mãos por baixo dos quadris e faça um suporte com os cotovelos, para sustentar bem o seu corpo. Ou coloque uma almofada sob os quadris.

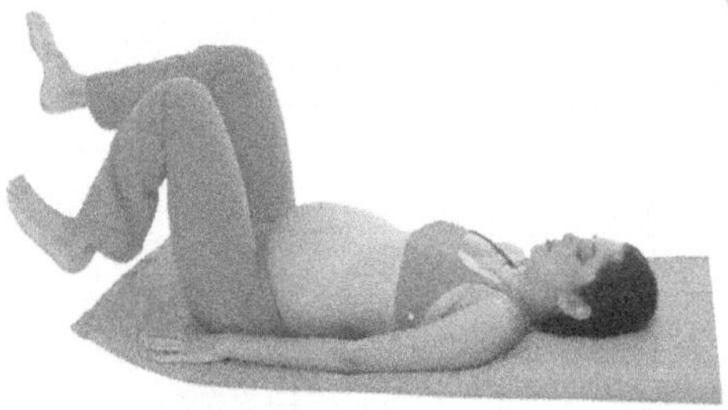

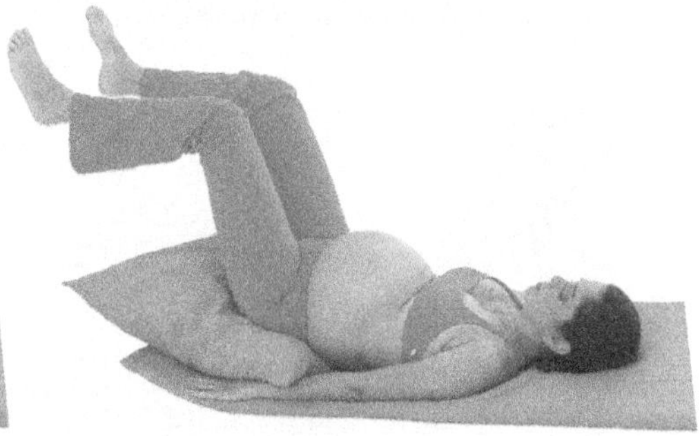

Comece a dar passos na parede, até esticar suas pernas completamente. Fique nesta postura o tempo que for confortável. Faça o exercício várias vezes ao dia — inclusive fora da série, mas lembre-se de não estar com o estômago cheio.

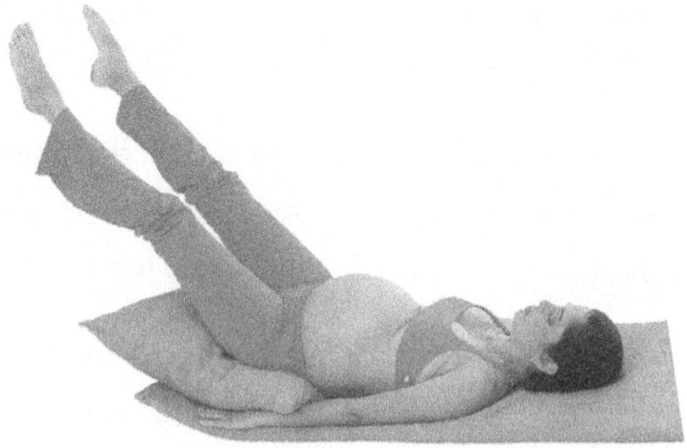

Ao terminar, o ideal é que realize um exercício de compensação, para aliviar o peso que fica sobre a parte superior da coluna (ombros e cervicais), evitando a cifose. A postura chama-se *Matsyasana*: deitada, de barriga para cima, apóie-se nos cotovelos e eleve o tronco, deixando a cabeça tombar para trás e encostando o topo no chão. Desfaça o apoio dos cotovelos e mantenha o topo da cabeça apoiado no chão, posicionando as mãos em prece sobre o peito.

Para desfazer a postura, é necessário apoiar os cotovelos novamente no chão e voltar a cabeça ao posicionamento normal.

Dica: como no final da gravidez é mais difícil ficar de barriga para cima, comece deitando-se de lado, de maneira bem relaxada, chegando as nádegas o mais próximo que puder da parede. Assim, quando virar a barriga para cima para esticar as pernas, já estará bem posicionada.

EXERCÍCIOS INDICADOS PARA CASOS DE BEBÊ COM DORSO À DIREITA

Abrindo a bacia — Variação I

Ajoelhe-se e flexione a perna direita à frente. Coloque a mão direita sobre a coxa e faça movimentos de ir para a frente e para trás, quantas vezes quiser. Ou, simplesmente, fique parada nesta posição, o tempo que quiser (mas saiba que quanto mais tempo conseguir ficar, melhor).

Observação: as fotos que apresentamos mostram a grávida com a perna esquerda à frente, mas o exercício deverá começar com a perna direita flexionada à frente.

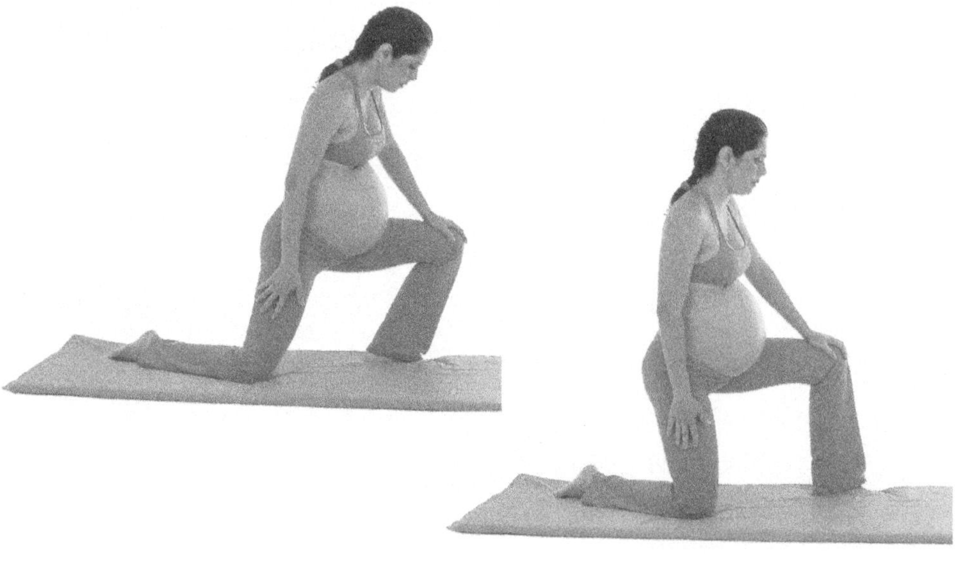

Este exercício pode ser feito durante o último trimestre da gravidez e até mesmo no trabalho de parto (se ele for realizado durante 20 minutos consecutivos no parto, as chances de o bebê virar são muito grandes).

Variação II

De pé, apóie a perna direita sobre um banco que esteja bem firme (se quiser ter mais segurança, também pode fazê-lo dando a mão para alguém). Realize movimentos para a frente e para trás com os quadris, flexionando o joelho direito. Pode fazer quantas repetições quiser. Ou basta ficar parada nesta postura o tempo que conseguir. Repita várias vezes ao dia.

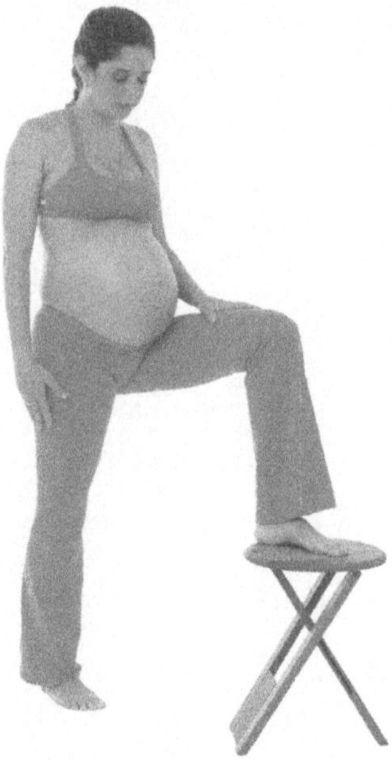

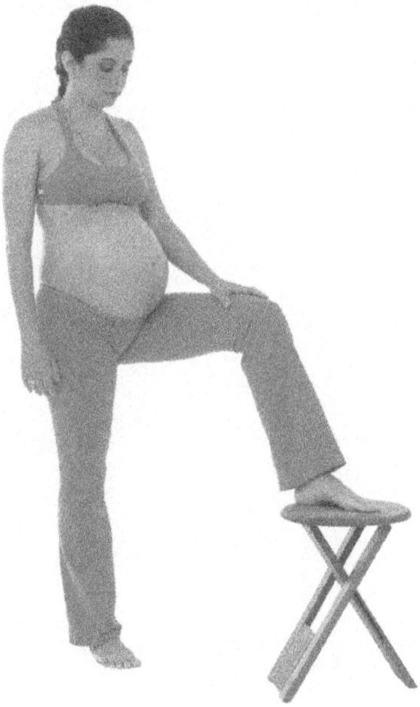

6. Três histórias de amor pelo yoga

Ao longo deste livro, foram apresentadas inúmeras informações que comprovam os benefícios do yoga na gestação. No entanto, não há nada melhor do que conhecer a experiência de mulheres que experimentaram o método para saber se ele realmente produz tantos efeitos positivos no corpo, na mente e na parte energética e espiritual das mamães.

Aqui estão, portanto, três relatos emocionantes. São mulheres como você, que buscam o melhor para vivenciar esta fase mágica da vida que é a gravidez. O primeiro deles é o da nossa "modelo", a terapeuta e astróloga Carla Machado. Carla é uma grande incentivadora do yoga para gestantes e do parto natural. Por isso, mesmo tendo enfrentado uma segunda gravidez mais delicada (com muitas contrações que poderiam ter levado à prematu-ridade), aceitou com muito boa vontade participar da realização deste livro. E foi justamente o yoga que lhe deu forças e a ajudou a afastar seus medos de que poderia acontecer algo de errado com seu bebê.

A atriz Alessandra Negrini nos dá o próximo depoimento. Em sua segunda gestação, ela praticou o yoga com afinco, visando ao bem-estar na gravidez e ao parto normal — o seu primeiro filho nasceu de cesariana. E conseguiu atingir os dois objetivos! O capítulo se encerra com o belo relato da pediatra homeopata Maria Martha Duque de Moura, que pôde experimentar os efeitos do yoga na gestação em dois momentos distantes: aos 30 e aos 45 anos. Nas duas situações, ela só tem boas coisas a nos contar.

Enfim, ao entrar em contato com o que outras mulheres viveram — tal qual você está vivendo agora —, fica mais fácil perceber que, realmente, vale a pena incluir a prática do yoga nos nove meses de gestação. Seja qual for o tipo de parto que você esteja idealizando, ou o perfil de sua gravidez, saiba que esta prática pode lhe beneficiar, e muito. Assim como aconteceu com Carla, Alessandra e Maria Martha — mulheres como você.

"Eu me sentia totalmente segura de que o yoga era o ideal para o meu bebê."

Carla Machado, 38 anos, terapeuta e astróloga, mãe de Sabrina, 7 anos e Roberto, 8 meses

"Antes mesmo de engravidar, eu já sabia que iria fazer yoga com a Fadynha. Já tinha ouvido falar muito do seu trabalho através de amigas e reportagens em jornais. Aos três meses da minha primeira gestação, lá estava eu e meu marido, Adolfo, matriculados juntos no curso de yoga para gestantes.

A primeira diferença que percebi foi a mudança no meu 'astral'. Fiquei mais calma, mais centrada, mais tranqüila. E o fato de praticar com meu marido aumentou a nossa conexão com o bebê e a minha com Adolfo. Os benefícios físicos também apareceram logo: eu me sentia mais alongada e com mais disposição. Entrei em harmonia com o meu novo corpo. Quando estamos grávidas sempre nos perguntamos: 'Será que isso é bom para o bebê?'. Mas, com o yoga, eu me sentia totalmente segura de que aquilo era o ideal.

Nos últimos 15 dias da minha gravidez, passei a fazer a minha série completa diariamente. O meu objetivo era ter um parto normal e estava me preparando para isso. No nascimento da Sabrina, optei por dar à luz numa casa de parto[1], era como um pequeno hotel, ficávamos nos quartos durante o trabalho de parto e tínhamos a menor intervenção possível de profissionais. Cheguei lá com um centímetro de dilatação, acompanhada por minha obstetra. À 1h30min da madrugada, minha médica foi descansar num outro quarto e eu e Adolfo ficamos fazendo as posturas que sabíamos serem boas para o trabalho de parto.

---

[1] Casa de Parto Nove Luas, Lua Nova, que funcionou em Niterói (RJ) na década de 1990.

Já passava das seis da manhã quando senti uma dor forte e gritei, me acocorando imediatamente. Minha médica acordou com o barulho e, ao me examinar, viu que eu estava com nove centímetros de dilatação. O bebê já estava nascendo. Ela deu uma bronca na enfermeira, por não tê-la acordado antes, mas a enfermeira defendeu-se dizendo que eu não tinha gritado em momento algum ao longo da madrugada. Eu, realmente, havia conseguido controlar a minha dor. Graças ao bom preparo que meu marido também teve, ele foi me orientando para eu liberar a minha mente da dor. Foi um trabalho de controle mental e emocional. Mesmo assim, a obstetra orientou que eu fosse anestesiada para ser feita a episiotomia[2]. Ela também realizou uma manobra na barriga para ajudar minha filha a descer. Treze minutos depois da anestesia, Sabrina nasceu.

No intervalo entre a primeira e a segunda gravidez, mergulhei fundo no universo do parto normal humanizado. Participei de congressos e fiquei muito próxima do tema. Assim, quando engravidei do Roberto, quis repetir a fórmula que havia dado certo na preparação da minha gravidez, mas já pensando em ter um parto com bem menos intervenções.

Aos três meses, estava de volta às aulas de yoga, em companhia de minha filha de 6 anos. Dessa vez, passei a sentir muitas contrações já a partir do quarto mês. A Fadynha, então, adaptou a minha série e tirou alguns exercícios. Por um período, tive que ficar de repouso. Mas, mesmo de cama, fazia os exercícios de relaxamento e mentalização. O yoga ajudou muito na minha parte psicológica. Fiquei calma e eliminei o medo de que meu filho nascesse antes da hora. Na segunda gravidez tive dores na coluna e, após a prática de determinadas posturas, esse problema melhorou muito.

Decidi ter meu segundo parto em casa, com a ajuda de uma parteira.

---

[2] Corte realizado no períneo para facilitar o nascimento do bebê, feito muitas vezes sem necessidade.

Na manhã em que comecei a sentir os sinais de que ia dar à luz, ainda fiz a minha série completa de yoga. E como sabia que caminhar acelera a descida do bebê, resolvemos levar minha filha à escola a pé. No meio do caminho, quando sentia dores, ficava na posição de cócoras no meio da rua até melhorar, fingindo amarrar o cadarço do tênis dela. De lá segui até a farmácia e fiz a mesma coisa: quando as dores vinham, eu me acocorava simulando procurar algum produto nas prateleiras inferiores. Em casa, coloquei em prática posturas de relaxamento para descansar nos intervalos das contrações.

Para superar a dor e viver a beleza deste momento, conduzia a minha mente para um estado de consciência alterado, vivenciando uma profunda entrega. Após duas horas e meia de trabalho de parto ativo, meu filho nasceu na água, numa atmosfera de muito amor, com toda a família reunida, incluindo minha filha de 6 anos, que pôde aprender como é natural e maravilhoso dar à luz nessa atmosfera de intimidade e serenidade. E graças a todo esse preparo na gravidez, ao parto natural e à shantala que faço no Roberto todos os dias, ele é um bebê muito tranqüilo e risonho.

Após o nascimento do meu filho, optei por fazer yoga no pós-parto também. A Fadynha me passou duas séries: uma pequena e uma maior. Confesso que, por ter que cuidar do bebê e da minha filha, só tive tempo de fazer a série menor. Mesmo assim, ela ajudou muito na minha recuperação. Foi muito importante porque, quando eu finalizava os exercícios, sentia que minha pelve ficava mais fechada. Esse é um dos grandes benefícios do yoga: nos aproximar de nosso corpo e fazer com que nos harmonizemos com ele. O yoga conduz a um contato sublime com o corpo.

Acho que toda mulher tem o direito de aproveitar esse momento maravilhoso que é a gestação e o parto, recuperando o contato consigo mesma e aproveitando o parto como uma grande iniciação! O yoga funcionou para mim como a porta para o caminho de retorno para dentro e para o centro, possibilitando-me dar à luz não só à criança, mas a mim mesma."

"Quando eu parava para fazer yoga, era um momento que me dava de carinho e de amor."

Alessandra Negrini, 34 anos, atriz,
mãe de Antonio, 8 anos e Betina, 10 meses.

"Antes de engravidar, eu já convivia com o yoga e com os ensinamentos da meditação. Assim, foi um caminho natural procurá-lo quando estava esperando o Antonio. Mas só comecei a praticar no finalzinho da gestação e não pude fazer o tanto que queria. De qualquer forma, gostei do resultado, porque pude sentir que me proporcionava calma, bem-estar e tranqüilidade. Com o yoga, eu entrava em contato com o meu próprio corpo.

Quando engravidei pela segunda vez, quis retomar o yoga mais cedo. No quinto mês, comecei a ter aulas com a Fadynha duas vezes por semana. Mais adiante, sempre que podia, passei a praticar em mais dois outros dias na semana, sozinha. Uma diferença imediata que pude perceber em relação à primeira gravidez foi que, nesta, não senti dores nas costas. O pouco que tive tratei com os exercícios de yoga. Foi um resultado bastante visível.

O mais importante para mim foi, sem dúvida, o trabalho de respiração. Eu tenho rinite alérgica e o yoga ajudou muito a liberar a minha respiração. Deu uma equilibrada nesse problema e melhorou a minha capacidade respiratória. Os exercícios respiratórios diminuíam a minha ansiedade e me acalmavam. Eu usava muito a respiração do yoga para me sentir tranqüila. Mas o principal foi que aprendi a respirar para o parto. Aprendi a técnica de respiração para lidar com a dor das contrações. E, sem dúvida, reduziu as dores quando dei à luz.

No nascimento do Antonio, fiquei muitas horas em trabalho de parto e, como ele estava com várias circulares de cordão, o médico acabou recorrendo à cesariana. Já com a Betina, eu me preparei mais. Estava bastante deter-minada a ter parto normal e o yoga me ajudou a me sentir mais preparada física e emocionalmente.

O nascimento da Betina também foi muito demorado. Fiquei três dias em trabalho de parto — dois em casa e um na maternidade. Três dias sentindo dores e desconfortos. A Fadynha foi minha doula[3] e, nos intervalos das contrações, fizemos algumas posturas que ajudavam na dilatação e na descida do bebê. Deu tudo certo e consegui dar à luz de parto normal.

Percebi, ainda, que meu pós-parto também foi ótimo. Retornei rapidamente ao meu cotidiano. Meu corpo também voltou rapidamente ao que era antes. Acho que devo isso não apenas à ginástica e às caminhadas que fiz até o sexto mês de gravidez, como ao yoga, que pratiquei até o finalzinho.

Sem dúvida, o yoga na gestação foi de grande ajuda para mim. Quando parava para fazê-lo, era um momento sublime. E o meu bebê também recebia estes sentimentos, porque éramos um só. Isso revertia em tudo de bom para a minha gravidez como um todo."

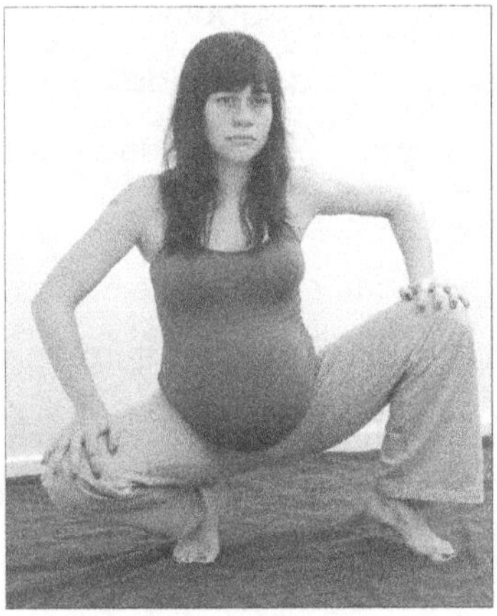

[3] Acompanhante de parto treinada para oferecer apoio contínuo físico e emocional à parturiente. Leia mais a respeito no livro *A Doula no Parto* (Editora Ground), de Fadynha.

"O yoga ampliou minha compreensão sobre a gravidez e o parto e me mostrou como apreciar melhor essa fase da vida."

Maria Martha Duque de Moura, 47 anos, pediatra homeopata, mãe de Guilherme, 16 anos e Júlia, 2 anos.

"Conheço a Fadynha há muito tempo, antes mesmo de ter filhos. Eu trabalhava com um grande pediatra que defendia o parto natural e, assim, fomos apresentadas e passei a acompanhá-la quando o Instituto Aurora ainda era em Santa Teresa. Ao engravidar do Guilherme, não tive dúvidas de que o trabalho de yoga para gestantes seria fundamental.

Comecei a praticar no terceiro mês e logo senti uma diferença enorme. Tive uma primeira gravidez bem tumultuada devido a acontecimentos externos. Lá, no Instituto, era onde eu 'pousava'. Digo isso porque sempre fiz, de brincadeira, uma comparação ao trabalho da Fadynha: dizia que ali era uma estação interplanetária onde as grávidas pousavam, se reabasteciam e saíam prontas para decolar para os seus cotidianos.

O yoga me trazia concentração e a possibilidade de olhar mais atentamente para mim e para minha gravidez. Como as alterações no corpo são muito grandes, com a prática das posturas consegui adaptar a minha estrutura corporal ao novo centro de gravidade. E como os exercícios são adaptados às questões físicas que ocorrem durante a gestação, ajudaram a minimizar os desconfortos que senti mais para a frente, como dores nas costas e nas pernas.

Para mim, o fundamental da prática do yoga foi o preparo que me proporcionou para eu viver o parto da maneira como desejava. Sempre quis dar à luz em casa. E consegui nas duas vezes. Na primeira, tinha 30 anos e achava que podia tudo. As pessoas à minha volta me desencorajavam, dizendo que era perigoso por ser o primeiro filho. Na segunda, aos 44 anos, o coro da 'turma do deixa disso' foi ainda mais forte, porque a gravidez era de risco devido à minha idade avançada. Mas meu marido e eu decidimos que se tudo estivesse bem teríamos nossa filha em casa. Durante a gravidez fiz vários exames que me deram confiança para dar à luz em casa novamente.

Ter filho não é fácil. É doloroso e gera muita ansiedade. Mas o yoga me ajudou a atravessar muito melhor o trabalho de parto. Aprendi a olhar para a dor. O yoga não oferece apenas a prática de exercícios, mas a compreensão sobre aquilo que passamos na gravidez e no parto e como passar por tudo isso da melhor forma possível. No mundo ocidental, a gente tende a querer fugir da dor, a anestesiá-la. O yoga nos ajuda a abraçar essa dor, encará-la e transformá-la.

Ao longo do trabalho de parto, fui fazendo as posturas de yoga intuitivamente. Confesso que não sabia que algumas delas eram indicadas para auxiliar o bebê a descer ou para dilatar. Mas deu tão certo que, quando a Júlia nasceu, eu estava fazendo o exercício de Gatinho.

Não é à toa que, quando engravidei da Júlia, não questionei se deveria voltar ou não a fazer yoga. Quatorze anos depois, eu brincava dizendo para as pessoas que era reincidente tanto na prática do yoga quando no parto normal em casa. E, graças a todo o preparo físico e emocional, tudo deu certo."

Algumas palavras finais

Estivemos juntas ao longo de nove meses de uma deliciosa espera. Agora, esta espera vai se transformar em realização. A realização de um momento mágico: parir, deixar seu bebê nascer. Durante todo esse tempo você se informou a respeito de tudo o que diz respeito à gravidez, buscou cursos, fez yoga... Agora, é hora de deixar o nascimento fluir naturalmente.

Vá sem medo, sem tensão, sem bloqueio algum para o parto. Independente de seu credo ou sua religião, conecte-se com a mãe divina e permita que a natureza aja. Deixe a chegada de seu bebê fluir, numa entrega total. Receba seu filho de uma maneira gostosa, confortável, agradável.

Este é o momento mais importante da vida de todo ser humano. A maneira como um bebê nasce impregna todo seu corpo físico, mental, energético e espiritual. É o marco do início da história dessa criança. Porém, se ela nascer numa situação adversa (como, por exemplo, um parto difícil ou um parto diferente daquele que você desejou), saiba que não será isso que irá quebrar o elo de amor que une mãe e filho. Dê bastante aconchego ao seu bebê e receba-o de maneira acolhedora. Amamente-o com prazer e dedicação, faça *shantala*...[1] A vivência da maternidade é capaz de superar qualquer problema...

Que todos à sua volta possam valorizar e abençoar este momento. Assim como todas as grávidas do meu curso de yoga cantam o *Om*[2] para as colegas que estão próximas de dar à luz, desejando que tudo dê certo no parto, eu daqui também entôo este mantra para você. Que todas as bênçãos recaiam sobre você, seu filho e toda sua família.

Seja feliz! *Shanti!*[3]

Fadynha

---

1 *Shantala* é a massagem para bebês, que lhes traz grandes benefícios. Entre eles, alivia cólicas e deixa-os mais calmos. Outro grande mérito da *shantala* é reforçar o vínculo mãe-bebê.

2 Principal mantra, que significa Deus sob a forma de som.

3 Mantra cujo significado é "paz".

Bibliografia

ALMEIDA, João Aprígio Guerra de. *Amamentação — Um Híbrido Natureza/ Cultura*. Fiocruz

ALVES, Valdecyr Herdy. *O Ato da Amamentação: uma Questão de Valor ou um Valor em Questão*. Senac, 2005

BALASKAS, Janet. *Parto Ativo*. Ground

BALDWIN, Rahima. *Special Delivery*. Les Femmes Publishing.

BARBAUT, Jacques. *O Nascimento Através dos Tempos e dos Povos*. Terramar

BRAZELTON, T.. *O Desenvolvimento do Apego — Uma Família em Formação*. Artes Médicas

CARVALHO, Marcus Renato de e TAMEZ, Raquel N.. *Amamentação — Bases Científicas para a Prática Profissional*. Guanabara Koogan. 2ª ed. atualizada

DAVIS-FLOYD, Robbie e ST. JOHN, Gloria. *Del Medico Al Sanador*. Editorial Creavida

DINIZ, Simone Grilo e DUARTE, Ana Cristina. *Parto Normal ou Cesárea? O que toda mulher deve saber (e homem também)*. Unesp, São Paulo, 2004

ENKIN, KEIRSE, NEILSON, CROWTHER, DULEY, HODNETT. *Guia de Atenção Efetiva na Gravidez e no Parto*. Guanabara, 2004

FADYNHA. *Meditações para Gestantes: O Guia Para Uma Gravidez Plena e Feliz*. (livro + CD) Ground

FIRME, Lívia Penna. *Lobas e Grávidas — Guia para a Gravidez e parto*. Editora Àgora

____. *Dar à luz... Renascer*. Editora Àgora

HARPER, Barbara. *Gentle Birth Choices: A Guide to Making Informed Decisions About Birthing Centers, Birth Attendants, Water Birth, Hospital Births*. Healing Arts Press

JONES, Ricardo H.. *Memórias do Homem de Vidro — Reminiscências de um Obstetra Humanista*. Editora Idéias à Granel — Porto Alegre, 2004

KITZINGER, Sheila. *A Experiência de Dar à Luz*. Martins Fontes

KITZINGER, Sheila. *The Complete Book of Pregnancy and Childbirth*. Knopf

KLAUS, Marshall H. *Mothering the Mother: How a Doula Can Help You Have a Shorter, Easier and Healthier Birth*. Hardcover

KLAUSS, Marshall H.; KENNEL, John e KLAUSS H. Phillis. *O Vínculo: Construindo as Bases para um Apego Seguro e para a Independência*. Artmed

LARGURA, Marília. *Assistência ao Parto no Brasil*. Publicação autônoma.

LABOBK, M. e SÁNCHEZ, V. Valdés A. Pérez. *Manejo Clínico da Lactação*. Revinter

LEBOYER, Frédérick. *Nascer Sorrindo*. Brasiliense

____. *Se me Contassem o Parto*. Ground

____. *Shantala — uma arte tradicional — massagem para bebês*. Ground

MALDONADO, M. Tereza e CANELLA, Paulo. *A Relação Médico-Cliente em Ginecologia e Obstetrícia*. Roca

MONTAGU, Ashley. *Tocar, o Significado Humano da Pele*. Summus

ODENT, Michel. *A Cientificação do Amor.* Saint Germain
______. *O Camponês e a Parteira.* Ground.
______. *O Renascimento do Parto.* Saint Germain
______. *Água e Sexualidade — A importância do Parto Ecológico.* Saint Germain
______. *Gênese do Homem Ecológico.* Tao
PACIORNIK, Moisés. *O Parto de Cócoras.* Brasiliense
______. *O Parto de Cócoras.* 3a. edição. Centro de Arte e Cultura Artesanal
Poster de Posições Relacionadas ao Parto. JICA (Brasil)
RATTNER, Daphne e TRENCH, Belkis. *Humanizando Nascimentos e Partos.* Senac — São Paulo, 2005
REGO, José Dias. *Aleitamento Materno.* Atheneu
ROBERTSON, Andrea. *The Midwife Companion — The Art of Support During Birth.* ACE Graphics
SABATINO, Hugo; DUNN, Peter M. e BARCIA, R. Caldeyro. *Parto Humanizado.* Unicamp
SEZJER, Mirian. *Nove Meses na Vida de Uma Mulher.* Casa do Psicólogo
SUTTON, Jean and SCOTT, Pauline. *Understanding and Teaching Optimall Foetal Position.* Birth Concepts
TANESE, Adriana e LESSA, Ciça. *Mulheres contam o parto.* Italianova, São Paulo, 2003
TODD, Linda. *You and Your Newborn Baby: A Guide to the First Months After Birth.* Harvard Common Press
WILHEIM, Joanna. *O Que é a Psicologia Pré-natal.* Casa do Psicólogo

LIVROS/PUBLICAÇÕES NOS QUAIS FADYNHA PARTICIPOU

Abordagens Corporais

CAMARGO, Maria Sílvia e ISIDORO Cristiana. *Mulher e Trabalho* (32 histórias), Editora 34 — São Paulo, 1997 (p. 57).

Ganesha — uma ponte para o infinito, Edições Ganesha (pp. 165 e 210).

HAKIN, Leila. *Conspiração Aquariana,* ARCA – 1982 (p. 138-A).

LEAL Sylvia e PROTÁSIO, Regina. *Pessoal e Intransferível — Certas histórias da maturidade,* Ed. Record — Rio de Janeiro, 2004 (p. 217).

LEAL Sylvia e PROTÁSIO, Regina. *6.720 Horas — gravidez sem dúvida,* Carnevale Editores — Rio de Janeiro, 2005 (p. 111).

RATTNER Daphne e TRENCH Belkis. *Humanizando Nascimentos e Partos,* Senac — São Paulo, 2005 (p. 93).

SITES AFINS

- Amigas do Parto: http://www.amigasdoparto.com.br
- Associação Nacional de Doulas: http://www.doulas.org.br
- Biblioteca Cochrane: http://www.cochrane.bireme.br e http://www.cochrane.org/index0.htm
- *Birthworks* (Dr. Michel Odent): http://www.birthworks.org
- *British Medical Journal:* http://bmj.bmjjournals.com
- Casa do Despertar: http://casadodespertar.org
- *CIMS (The Coalition for Improving Maternity Services):* http://www.motherfriendly.org
- Doulas do Brasil: http://www.doulas.com.br
- *Doulas of North America* (DONA): http://www.dona.com
- Espaço Gen: http://www.geocities.com/Heartland/Acres/1110
- Fadynha: http://www.partonatural.com.br
- Grupo Koeche: http://www.koeche.cjb.net
- Instituto de Yoga e Terapias Naturais Aurora: http://www.institutoaurora.com.br — http://www.shantala.com.br
- Maternatura: http://www.maternatura.med.br
- *Mother Love Inc.:* http://www.midwiferytoday.com/loves/motherlove
- Nascer Feliz: http://www.nascerfeliz.com.br
- OMS (Organização Mundial de Saúde): http://www.who.int/en
- Organização Pan-Americana de Saúde: http://www.opas.org.br
- Penny Sinkin: http://www.pennysinkim.com
- Rehuna: http://www.rehuna.org.br
- Robbie Davis-Floyd: http://www.davis-floyd.com

Para os profissionais interessados em usar o Método Fadynha como professores autorizados, existem os cursos "Formação Pré e Pós Natal" e "Formação em Yoga para Gestantes"

Gostaria de conhecê-la melhor e saber como se deu a prática do yoga na sua gestação. Se puder, mande um e-mail para fadynha@institutoaurora.com.br ou uma carta para Instituto de Yoga e Terapias Aurora, Praia do Flamengo, 66, bloco B, salas 914 e 916, Flamengo, 22210-903, Rio de Janeiro-RJ.
Saiba mais sobre gestação, parto e shantala no site do Instituto:
www.institutoaurora.com.br.

CONHEÇA TAMBÉM DA EDITORA GROUND

A DOULA NO PARTO

o papel da acompanhante de parto especialmente treinada para oferecer apoio físico e emocional à parturiente

Fadynha

Livro inédito sobre o papel da Doula no Brasil. Em seu trabalho ela utiliza técnicas de respiração, relaxamento, massagem, e auxilia a mulher na escolha de posições mais confortáveis para o parto.

MEDITAÇÕES PARA GESTANTES (livro + CD)

O guia para uma gravidez saudável, plena e feliz

Fadynha

São apresentadas para a gestante várias técnicas que promovem paz e harmonia específicas para o período gestacional. O CD incluso traz o acompanhamento passo-a-passo de uma meditação especial que prepara a futura mãe para um parto mais tranquilo.

SHANTALA

massagem para bebês

Frédérick Leboyer

Shantala tornou-se um livro famoso em todo o mundo, editado em inúmeros países. Além do aspecto científico, Leboyer conciliou poeticamente as explicações da técnica de massagem com a sabedoria milenar de seu uso. Um livro belo e importante para a mãe e o bebê.

O FILME

SHANTALA - Uma arte tradicional - massagem para bebês

Frédérick Leboyer

Este filme foi produzido pelo próprio Fréderick Leboyer e corresponde a uma sessão completa de Ayurveda, sistema ancestral de medicina indiano, adaptado para bebês, vislumbrado por ele quando viu Shantala pela primeira vez, em Calcutá.

Parto Ativo (Nova edição)

guia prático para o parto natural
(A história e a filosofia de uma revolução)
Janet Balaskas

Os exercícios apresentados neste livro, baseados no yoga para a gravidez, vão conduzir a mulher aos seus próprios instintos naturais para o trabalho de parto e para o parto. Paralelamente são abordados os procedimentos corporais adequados e naturais para uma gravidez saudável e prazerosa.

O Camponês e a Parteira

uma alternativa à industrialização da agricultura e do parto
Michel Odent

Parecendo à primeira vista sem relação, as duas premissas – industrialização da agricultura e do parto – estão inexoravelmente ligadas na pesquisa do Dr. Michel Odent, que provou uma relação direta entre o estado de saúde da mulher na sua própria infância, adolescência e vida adulta e o parto que irá ter.

125 Brincadeiras

para estimular o cérebro do seu bebê
Jackie Silberg

Este livro é repleto de idéias divertidas direcionadas ao período que vai do nascimento aos 12 meses. Toda brincadeira tem informações sobre a última palavra em pesquisa cerebral e uma discussão sobre a forma como as atividades promovem a capacidade do cérebro do bebê.

125 Brincadeiras

para estimular o cérebro da criança de 1 a 3 anos
Jackie Silberg

Pesquisas recentes confirmam que a capacidade de alguém aprender e florescer numa grande variedade de ambientes depende da interação entre a sua herança genética e a educação (o tipo de cuidados, estímulos e ensinamentos que recebe). As atividades e brincadeiras deste livro ajudam nessa finalidade.